“十二五”国家重点图书出版规划项目

CHINA WETLANDS RESOURCES
Hebei Volume

中国湿地资源

河北卷

◎ 国家林业局组织编写

中国林業出版社

图书在版编目（CIP）数据

中国湿地资源·河北卷／国家林业局组织编写；张海，毕君分册主编．－北京：中国林业出版社，2015.12

“十二五”国家重点图书出版规划项目

ISBN 978-7-5038-8286-9

Ⅰ.①中… Ⅱ.①国… ②张… ③毕… Ⅲ.①湿地资源－研究－河北省 Ⅳ.① P942.078

中国版本图书馆 CIP 数据核字（2015）第 296982 号

总 策 划：金 旻

策划编辑：徐小英

主要编辑：徐小英 刘香瑞 李 伟

何 鹏 于界芬

美术编辑：赵 芳

出版发行 中国林业出版社（100009 北京西城区刘海胡同 7 号）

http://lycb.forestry.gov.cn

E-mail:forestbook@163.com 电话：(010)83143515、83143543

设计制作 北京天放自动化技术开发公司

北京捷艺轩彩印制版有限公司

印刷装订 北京中科印刷有限公司

版　　次 2015 年 12 月第 1 版

印　　次 2015 年 12 月第 1 次

开　　本 787mm × 1092mm 1/16

字　　数 268 千字

印　　张 10.5

定　　价 85.00 元

中国湿地资源系列图书
编撰工作领导小组

顾　问：陈宜瑜　李文华　刘兴土

组　长：张永利

副组长：马广仁

成　员：（按姓氏笔画排序）

王文宇　王忠武　王海洋　韦纯良　邓乃平　邓三龙
兰宏良　刘建武　刘艳玲　刘新池　李　兴　李三原
李永林　来景刚　吴　亚　张宗启　陆月星　陈则生
陈传进　陈俊光　林云举　呼　群　金　旻　金小麒
周光辉　降　初　孟　沙　侯新华　夏春胜　党晓勇
徐济德　奚克路　阎钢军　程中才　雷桂龙　蔡炳华
樊　辉

中国湿地资源系列图书
编撰工作领导小组办公室

主　任：马广仁

副主任：鲍达明　唐小平　熊智平　马洪兵

成　员：王福田　姬文元　刘　平　闫宏伟　李　忠　田亚玲
王志臣　张阳武　但新球　刘世好　王　侠　徐小英

《中国湿地资源·河北卷》
编辑委员会

主　任：王海洋

副主任：刘凤庭　雷永怀　王　忠　张　海　毕　君　田建辉

成　员：刘　洵　封新国　管耀义　马书峰　付芸生　张书桐
姚清亮　许文泉　鲁少波　毛富玲　陈立标　王占华
滕起和　刘克岩　吴跃峰　侯建华　杜克久　杨　丽

《中国湿地资源·河北卷》
编写组

主　　编：张　海　毕　君

副 主 编：田建辉　陈立标　毛富玲　杨　丽　安春林　冯国锋
王振鹏

编 著 者：于秀藏　宋新英　李东胜　刘庆博　宋　莎　王　超
张丽荣　刘丽霞　张兆东　王建营　刘　娟　王　芳
白庆红　姚天斌　穆孜杰　郭少波　王福星　史军海
张晓锋　刘利斌　李永杰　范　波　回彦哲

主　　审：毕　君

地图绘制：张　岩　宋　莎

插图编绘：张彩桥　张临春

照片摄影：李东胜　张培宝　金照光　李剑平　苗宏志　李洪凯
殷建伟　杨　丽　张　菲　崔建军　张　静　陈　涛
李新维　赵俊清　刘学忠

总 序

湿地是地球表层系统的重要组成部分，是自然界最具生产力的生态系统和人类文明的发祥地之一。在联合国环境规划署（UNEP）委托世界自然保护联盟（IUCN）编制的《世界自然资源保护大纲》中，湿地与森林和海洋一起并称为全球三大生态系统。湿地具有类型多样、分布广泛的特点；湿地更重要的是还具有多种供给、调节、支持与文化服务功能，是人类重要的生存环境和资源资本。湿地与人类生产生活和社会经济发展息息相关。湿地的重要性受到世界各国和国际社会的普遍关注。早在1971年，国际社会就建立了全球第一个政府间多边环境公约，即《关于特别是作为水禽栖息地的国际重要湿地公约》（简称《湿地公约》）。同时，该公约也是全球最早针对单一生态系统保护的国际公约。1992年中国加入《湿地公约》，自此我国湿地保护事业进入了新的发展时期。

我国加入《湿地公约》后，在国家林业局设立了专门的湿地保护和履约机构，对内负责组织、协调、指导和监督全国湿地保护工作，对外负责《湿地公约》的履约工作。近年来，中国各级政府在湿地保护方面开展了大量卓有成效的工作，采取了一系列保护和合理利用湿地资源的措施，在湿地保护规划和重点工程建设、财政补贴政策制定实施、法规制度建设、保护体系建设、科研监测、宣传教育和国际合作等方面取得了长足进步。但我国湿地生态系统仍然面临着盲目围垦与改造、污染、水土流失、泥沙淤积、生物资源过度利用等多种因素的破坏和威胁，导致面积减少，生态功能下降，生物多样性丧失。因此，切实保护和合理利用湿地资源，既是保障生态安全和国土安全的当务之急，更是中国实施可持续发展战略势在必行的要务。

开展湿地资源调查，摸清湿地资源家底，把握湿地资源动态，是所有湿地保护工作的基础，也是履行《湿地公约》各项工作的根基。2009～2013年，在中央财政的支持下，国家林业局组织开展了第二次全国湿地资源调查工作。在此期间，我有幸作为第二次全国湿地资源调查专家技术委员会的主任委员，和其他专家一起全程参与了此次湿地资源调查的主要技术环节和成果鉴定。

我认为此次调查具有以下几个特点：一是，此次调查的湿地分类、界定标准、调查方法基本与《湿地公约》规定相接轨，使得调查数据符合《湿地公约》的要求，调查成果易于被国际认可，便于国际间的对比和交流。二是，制定了内容全面、方法科学、符合国际标准的统一技术规程《全国湿地资源调查技术规程（试行）》，进行了同标准、同口径的分期分批调查。三是，本次调查利用“3S”技术与现地验证相结合的技术方法，查清了全国范围内（未包括香港、澳门、台湾）8 公顷以上的湿地资源基本情况。四是，湿地调查分为一般调查和重点调查。重点调查包括，国际重要湿地、国家重要湿地、自然保护区（含自然保护小区）和湿地公园内的湿地以及其他特有、分布濒危物种和红树林等具有特殊保护价值的湿地。五是，组织保障有力。国家层面上，成立了第二次全国湿地资源调查领导小组、专家技术委员会、中央技术支撑单位和国家质量检查组；省级层面上，分别成立了湿地调查专职机构，组建了省级专业调查队伍。

需要指出的是，第二次全国湿地资源调查期间，我国湿地保护事业发展迅速。2009 年，中央启动了“湿地生态效益补偿试点”工作；2010 年开始，中央财政设立了湿地保护补助专项资金；2012 年，党的十八大将建设生态文明纳入中国特色社会主义事业“五位一体”总体布局，提出要“扩大森林、湖泊、湿地面积，保护生物多样性”。期间，国家林业局会同相关部门认真实施了《全国湿地保护工程实施规划 (2005 ～ 2010 年)》和《全国湿地保护工程“十二五”实施规划》。2013 年，国家林业局出台的《推进生态文明建设规划纲要》划定了湿地保护红线，到 2020 年中国湿地面积不少于 8 亿亩。2013 年，国家林业局出台了第一部国家层面的湿地保护部门规章《湿地保护管理规定》。应该说，历时 5 年的湿地资源调查与同期湿地保护事业的发展，是休戚相关，相互促进的。

第二次全国湿地资源调查取得了丰硕成果。在全球范围内，我国率先完成了《湿地公约》倡导的国家湿地资源调查，首次科学、系统地查明了《湿地公约》所定义的我国湿地资源情况。建立了完整的全国湿地资源空间数据库和属性数据库，掌握了近 10 年来湿地资源动态变化情况，建立了稳定的湿地资源调查专业队伍和专家团队，形成了较为完整的湿地资源调查监测技术规范，完成了全国湿地资源总报告、分省报告和多个专题报告，编制了系列成果图。调查成果达到国际先进水平。

党的十八大对建设生态文明作出了全面部署，强调把生态文明建设放在突出地位，融入经济建设、政治建设、文化建设、社会建设各方面和全过程。在全国第二次湿地资源调查成果的基础上，系统编著形成了中国湿地资源系列图书，为新时期我国湿地保护事业奠定了坚实基础。希望本系列图书能够为我国湿地工作者在开展湿地研究、保护与合理利用工作时提供参考和借鉴。

中国科学院院士

2015 年 9 月

前　言

河北省地貌类型齐全，气候条件多样。全省地势自西北向东南倾斜，表现为西高东低，北高南低，诸多水系源于西侧的太行山和北部的燕山山区，流经中东部的华北平原，汇入渤海湾；处于内蒙古南缘的坝上高原以其众多的季节性内流河，为星罗棋布的湖淖补给水源。复杂多样的地理气候条件孕育了河北省类型丰富又独具特色的湿地资源，包括近海与海岸湿地、河流湿地、湖泊湿地、沼泽湿地以及人工湿地，特别是沿渤海湿地、坝上高原湿地在世界候鸟迁徙通道上占有重要地位，成为国家重要湿地的组成部分。河北省湿地生态系统在京津冀协同发展战略上，具有重要的基础支撑作用。

河北省地处干旱半干旱地区，湿地资源极其珍贵，同时又十分脆弱。长期以来，由于对湿地缺乏足够的认识，湿地成为了社会发展过程中的牺牲品，河北省湿地正经历着一个由湖及泽、由泽及陆、由湿变干的退化过程。许多以湿地为栖息地的生物物种数量正在急剧减少，湿地的功能不断降低，湿地生态系统健康岌岌可危。

河北省湿地的资源状况发生了怎样的变化，能否持续发挥其所担负的生态安全功能，能否持续满足社会经济发展的要求。经济社会发展对湿地生态系统的干扰度如何，如何平衡湿地的保护与利用，如何恢复萎缩和退化的湿地，亟需摸清家底，问症把脉，科学客观评价湿地的健康状况与退化机制。

湿地调查的目的就是查清我省湿地资源及其环境现状，了解湿地资源的动态消长情况，对湿地资源进行全面、客观的分析评价，为湿地资源的保护、管理和合理利用提供统一完整、及时准确的基础资料和决策依据。河北省第一次湿地调查时间为 1995~1999 年，多年来，湿地资源受自然和人为因素的影响，发生了很大变化，适时、准确的湿地资源数据的缺乏，在一定程度上影响了湿地保护与开发利用决策，制约了生态建设进程，开展全省湿地资源调查十分必要。根据《国家林业局湿地保护管理中心关于开展 2011 年湿地资源调查的通知》（林湿调字〔2010〕55 号）精神，河北省林业厅对湿地调查工作进行了周密部署和精心安排。成立了湿地资源调查领导小组，组建了专业调查队伍，根据《全国湿地资源调查技术规程（试行）》，编制了《河北省第二次湿地资源调查工作方案》和《河北省湿地资源调查技术实施细则》。调查工作分为筹备、外业调查、数据汇总及报告撰写和检查验收等 4 个阶段。调查从 2010 年 11 月开始，历时 1 年多，共区划湿地斑块 4018 个，布设野生动物调查样方（样带）1155个、植物调查样方2359个。经调查统计，河北省共有5个湿地类19个湿地型，8公顷以上的湿地总面积（不包括唐山市芦台管理区，天津市已调查统计）94.19万公顷，占全省总面积的5.02%。基本摸清了全省各类湿地资源的类型、数量、分布及其动植物资源情况，客观分析了湿地资源保护、利用与管理的现状和问题。

在河北省第二次湿地资源调查与统计分析基础上，通过全体编写人员的努力，形成了《中国湿地资源 · 河北卷》文稿。本卷组织编写的原则是体现真实性、科学性、先进性和实用性。全部数据材料与分析均建立在野外调查的第一手资料基础上，分析手段和方法注重科学性和先进性，服务对象为湿地保护与管理相关人员及广大湿地爱好者。

《中国湿地资源 · 河北卷》全面系统记录分析了河北湿地资源的现状及问题，可为广大京津冀地区的湿地研究人员、湿地管理者带来大量翔实的基础资料，可供大专院校、科研院所、自然保护区以及林业、环保、国土等部门的相关人员阅读和参考。

《中国湿地资源 · 河北卷》编辑委员会

2014年8月

目　录

第一章 基本情况

第一节 自然概况

1 地理位置及行政区划

河北省简称冀，在战国时期大部分属于赵国和燕国，所以又被称为燕赵之地。河北省地处黄河下游以北，地理坐标在东经113°27′～119°50′，北纬36°03′～42°40′之间。东临渤海，东北部与辽宁省接壤，北部和西北部同内蒙古自治区相连，西隔太行山与山西省为邻，南部和东南部与河南、山东两省相接，中间镶嵌着北京、天津两个直辖市。东西最宽处约650公里，南北长约750公里，海岸线长487公里。全省总土地面积18.77万平方公里。

河北省行政区划分为石家庄、承德、张家口、秦皇岛、唐山、廊坊、保定、沧州、衡水、邢台、邯郸11个设区市，172个县(市、区)(以下简称县。其中：36个市辖区、22个县级市、108个县、6个自治县)，2225个乡(镇)，50283个村。石家庄市辖6个市辖区、12个县，代管5个县级市；承德市辖3个市辖区、5个县、3个自治县；张家口市辖4个市辖区、13个县；秦皇岛市辖3个市辖区、3个县、1个自治县；唐山市辖6个市辖区、6个县，代管2个县级市；廊坊市辖2个市辖区、5个县、1个自治县，代管2个县级市；保定市辖3个市辖区、18个县，代管4个县级市；沧州市辖2个市辖区、9个县、1个自治县，代管4个县级市；衡水市辖1个市辖区、8个县，代管2个县级市；邢台市辖2个市辖区、15个县，代管2个县级市；邯郸市辖4个市辖区、14个县，代管1个县级市，见表1-1。

表1-1 河北省行政区划表

设区市	县(市、区)名称
石家庄市	长安区、桥东区、桥西区、新华区、裕华区、井陉矿区、辛集市、藁城市、晋州市、新乐市、鹿泉市、平山县、井陉县、栾城县、正定县、行唐县、灵寿县、高邑县、赵县、赞皇县、深泽县、无极县、元氏县

（续）

设区市	县(市、区)名称
承德市	双桥区、双滦区、鹰手营子矿区、承德县、兴隆县、隆化县、平泉县、滦平县、丰宁满族自治县、围场满族蒙古族自治县、宽城满族自治县
张家口市	桥西区、桥东区、宣化区、下花园区、宣化县、康保县、张北县、阳原县、赤城县、沽源县、怀安县、怀来县、崇礼县、尚义县、蔚县、涿鹿县、万全县
秦皇岛市	海港区、山海关区、北戴河区、昌黎县、卢龙县、抚宁县、青龙满族自治县
唐山市	路北区、路南区、古冶区、丰南区、丰润区、开平区、遵化市、迁安市、迁西县、滦南县、玉田县、乐亭县、曹妃甸区(原唐海县，下同)、滦县
廊坊市	广阳区、安次区、霸州市、三河市、固安县、永清县、香河县、大城县、文安县、大厂回族自治县
保定市	新市区、南市区、北市区、涿州市、定州市、安国市、高碑店市、满城县、清苑县、涞水县、阜平县、徐水县、定兴县、唐县、高阳县、容城县、涞源县、望都县、安新县、易县、曲阳县、蠡县、顺平县、博野县、雄县
沧州市	运河区、新华区、泊头市、任丘市、黄骅市、河间市、沧县、青县、献县、东光县、海兴县、盐山县、肃宁县、南皮县、吴桥县、孟村回族自治县
衡水市	桃城区、冀州市、深州市、饶阳县、枣强县、故城县、阜城县、安平县、武邑县、景县、武强县
邢台市	桥东区、桥西区、南宫市、沙河市、邢台县、柏乡县、任县、清河县、宁晋县、威县、隆尧县、临城县、广宗县、临西县、内丘县、平乡县、巨鹿县、新河县、南和县
邯郸市	丛台区、复兴区、邯山区、峰峰矿区、武安市、邯郸县、永年县、曲周县、馆陶县、魏县、成安县、大名县、涉县、鸡泽县、邱县、广平县、肥乡县、临漳县、磁县

2 地质地貌

2.1 地 质

河北省各地质时代地层出露广泛，发育较齐全，主要分布在北部的坝上高原、燕山山地及西部的太行山山地，平原地区皆被第四纪沉积物所覆盖。地层由老到新可分为太古界、元古界、古生界、中生界和新生界，而以古生界地层分布最为广泛。在古生代以前，河北省完全属于沉降地带，到处是汪洋大海，沉积了很厚的泥沙。古生代志留纪后期，加里东运动使河北省大部分地区成为陆地。中生代的燕山运动形成了河北省地貌基本轮廓。新生代的喜马拉雅运动，加速了华北平原的相对下沉和北部、西部山地的相对上升。张家口、承德地区北部火山活动频繁，形成了坝上地区厚而广泛的玄武岩层。

2.2 地 貌

河北省自西北向东南呈半环状逐级下降，高原、山地、平原呈明显的三级阶梯状排列。根据三大地貌类型的地质条件和形态类型，河北省分为高原、山地丘陵、盆地和平原 4 个地貌类型区。

坝上高原区：位于河北省最北部，为坝头山地和内蒙古自治区边界所围成的一个楔形地带。东窄西宽，东北向西南走向，长约350公里。平均海拔1200～1500米，最高峰超过2200米。由坝缘山地、舒缓丘陵和波状高原组成。燕山运动以来，地面缓慢上升，古老的花岗岩、片麻岩和石英岩经风化剥蚀，构成平缓的丘陵山地；燕山运动和喜马拉雅运动产生大量断裂，构成一系列凹陷盆地，成为现今高原湖淖分布的基础；喜马拉雅运动时期沿断裂线又有大量玄武岩溢出，形成玄武岩台地；第四纪沉积物以风积、湖积为主。本区河流除东部滦河流域外，多属内陆河，季节性流水或雨后成河，流程很短，水量不丰，河谷宽浅，切割不深。

山地丘陵区：包括冀北山地和冀西山地。冀北山地主要指燕山山脉，近于东西走向；冀西山地即太行山脉，大致呈南北走向。本区山脉连绵不断，按其形态特征由中山、低山、丘陵和盆地、河谷交错构成。一般海拔2000米以下，超过2000米的山不多，呈孤峰状态。本区古老的片麻岩、花岗岩大面积裸露地表；中生代又有大量火山喷发，堆积了很厚的中酸性火成岩；第三纪喜马拉雅运动北部沿断裂线又有大量玄武岩溢出。本区山脉连绵，峰峦起伏，长川峡谷，沟深流急，为滦河、辽河、潮白河、大清河、子牙河的上游，大小支流有500多条。

冀西北间山盆地：北接坝上高原，南至拒马河北岸分水岭，东北与冀北山地相连，东南与北京市接壤，西至省界。本区山地、丘陵大约占总面积的2/3，盆地占1/3。山地海拔多在500～1200米，小五台东台高达2882米。地貌形成受喜马拉雅运动以及第四纪以来的垂直升降运动和断裂构造所控制。第四纪沉积物有较广泛的分布，桑干河盆地主要为泥河湾期湖相沉积物；桑干河、洋河等河谷区主要为河流冲积物，质地较细，以黄土类亚砂土为主；边缘山地主要是残积坡积和洪积物，质地较粗。本区黄土堆积不仅面积广，而且相当厚，在丘陵地区一般可达40～50米。主要河流有洋河、桑干河。

河北平原：位于太行山以东，燕山以南，由海河水系、滦河水系及古黄河长期洪积、冲积而成，属河流冲积平原。地势自山麓向渤海倾斜，绝大部分海拔低于50米。它的形成是渤海凹陷，逐渐为黄河、海河及燕山各河系冲积物所填而成。据其成因和形态可分为山麓平原、冲积平原和滨海平原三大部分。山麓平原，一般海拔不超过百米，由各河流的冲积、洪积扇组合而成，地面平缓，排水通畅；冲积平原主要由黄河、海河、滦河等河流的冲积物堆积而成，面积辽阔，地势低平，海拔多小于40米；滨海平原位于渤海沿岸，为河流逐渐向海淤积而成，地形低平，海拔5米以下，沿渤海西岸大体呈半环状分布。

3 气 候

河北省除坝上高原、围场山地、张家口市区、宣化河谷盆地、蔚县盆地、丰宁山地属温带大陆性季风气候外，其余皆为暖温带大陆性季风气候，四季分明。冬季寒冷干燥、雨雪稀少；春季冷暖多变、干旱多风；夏季炎热潮湿、雨量集中；秋季风和日丽、凉爽少雨。受地理位置及地貌、地形等因素的影响，各地区气候差异很大。省内年降水资源不充足，但温度适宜、日照充足、热量丰富、雨热同季，适合多种农作物生长。

3.1 气 温

河北省多年平均气温为11.8℃。由于南北跨度大且地形复杂，各地气温相差很大，年平均气温分布由北向南逐渐升高，各地在2.2～14.6℃之间，峰峰矿区最高为14.6℃，康保最低为2.2℃。全省日极端最高气温多出现在6月，极端最低气温多出现在1月。近50多年来日极端最高气温于2009年6月25日出现在沙河县，为44.4℃；日极端最低气温于2000年2月1日出现在沽源，为－39.9 ℃。近50年平均气温呈现上升趋势(河北省人民政府办公厅，2008)。

3.2 降 水

全省年平均降水量为503.5毫米，各地在338.4～688.9毫米之间。年降水量时空分布不均，燕山南麓是多雨中心，年降水量在600毫米以上；冀西北高原为少雨区，年降水量不足400毫米。年降水主要集中在夏季，占全年的66%；冬季降水最少，仅占全年的2%。有气象观测记录以来，1964年降水量最多，全省平均为814.6毫米；1997年最少，为340.4毫米。近50年降水量呈减少趋势，平均每10年减少24毫米，燕山南麓减少趋势最显著，平均每10年减少30～60毫米(河北省人民政府办公厅，2008)。

3.3 日 照

河北省是全国光照较充沛的地区，全省年均日照时数为2496小时，年日照时数为2126～3063小时，日照百分率为50%～70%。其地理分布是北部多，南部少，沿海地区多，山麓平原少。北部高原、山区和沿海平原是河北省年日照时数最多的地区，为2800～3063小时，太行山南段及其山麓平原日照时数较少，为2301～2600小时，其余地区多在2600～2800小时之间。月日照时数以5月最多，为265～307小时；冬季最少，为165～210小时。太阳年总辐射量为4974～5966兆焦/平方米。一年中，夏季最多，占年总量的33%，冬季最少，占15%，春季占31%，秋季占21%(河北省地方志编纂委员会，1993)。

3.4 无霜期

河北省南北跨度大，热量资源和无霜期由南向北递减。冀北高原为河北省热量最低地区，≥0℃积温为2100～2800℃，无霜冻期80～110天；长城以北的山地和盆地区≥0℃积温2800～4200℃，无霜冻期110～170天；长城以南至滹沱河以北地区≥0℃积温4200～4800℃，无霜冻期170～190天；滹沱河以南及太行山南部低山丘陵地区为河北省热量条件最好地区，≥0℃积温4800～5200℃，无霜冻期190～205天。河北省热量按地带划分，大致是冀北高原为一年一熟低温作物区，冀北高原以南至长城以北，为一年一熟中温作物区，长城以南至滹沱河以北为二年三熟作物区，南部为一年二熟作物区。

3.5　蒸发量

河北省年平均蒸发量地区分布规律为：南部大于北部，北部的冀北高原、燕山丘陵和冀东平原区的大部地区平均蒸发量为1300～1800毫米；南部的大部地区在1800～2000毫米，沧州东南部年平均蒸发量超过2000毫米。一年中，5～6月蒸发量最大，约占全年的1/3，1月和12月蒸发量最小，仅占全年的5%左右。

4　水　文

4.1　河流水系

河北省境内河流众多，流域面积在200平方公里以上的河流有339条。按照河川径流循环形式，全省河流可分为直接入海的外流河及不与海洋沟通的内陆河两大系统。

(1)内陆河：内陆河位于张家口坝上高原，流域面积1.17万平方公里，占全省总面积的6.23%。其特点是河少源短，水量小，河水多注入境内湖淖、洼地。主要河流有安固里河、三台河、葫芦河、黑水河等；主要湖淖有安固里淖、黄盖淖、察汗淖、九连城淖、康巴诺尔等。

(2)外流河：指内陆河以外的全部河流，流域面积17.60万平方公里，占全省面积的93.77%。其特点是河多源长，多发源于山地，流经河北平原，注入渤海。主要河流有海河、滦河、辽河以及徒骇马颊河等。

海河：由潮白蓟运、北运、永定、大清、子牙、南运河等六大水系组成，流域面积12.57万平方公里，占全省总面积的66.97%。六大水系由北至南呈扇形分布，各水系汇集于天津附近后流入渤海。

滦河及冀东沿海：总流域面积4.59万平方公里，占全省总面积的24.45%。滦河位于河北东北部，支流繁多，较大的有小滦河、兴州河、伊逊河、武烈河、老牛河、瀑河、青龙河等。冀东沿海河流为冀东沿海诸小河，主要有陡河、沙河、小青龙河、沂河、洋河、石河等，这些河流源短流急，直接入海。

辽河：其支流阴河、西路嘎河、老哈河及辽东沿海的大凌河发源于河北省，由东北部分别流入内蒙古和辽宁，省内流域面积0.44万平方公里，占全省总面积的2.35%。

徒骇马颊河：位于河北省东南隅，面积仅为365平方公里，以排泄汛期沥水为主。

4.2　水资源

河北省水资源严重不足，人均水资源总量306.69立方米，仅为全国人均水资源量的1/7，低于全国水平和相邻省份，且部分山区自产地表水资源已专供北京、天津两市使用。据统计，河北省多年平均水资源总量为204.69亿立方米，全省地表水资源量为120.17亿立方米，地下水资源量为122.57亿立方米，地表水和地下水重复计算量为38.05亿立方米；外省入境水量49.8亿立方米；地下水可开采量为98.7亿立方米。受气候、地形地貌、地质、水资源开采利用等因素影响，平原、山区水资源分布极为不均(河北省人民政府办公厅，2007)。

5 土 壤

河北省土壤在地理分布和基本特征方面有很大差异。根据土壤普查，全省土壤有20个土类，55个亚类，164个土属，357个土种(河北省土壤普查办公室，1990)。亚高山草甸土、棕壤、栗钙土、褐土、潮土、盐土、风沙土及灰色森林土、黑土等为典型的垂直和水平地带性土壤。亚高山草甸土主要分布在燕山、恒山、太行山山地森林线以上平缓顶部，海拔在2000~2500米，占全省土地总面积的0.26%；棕壤主要分布在海拔800~1300米的山地，上接亚高山草甸土，占全省土地总面积的14.02%；栗钙土主要分布在坝上闪电河以西及冀西北山间盆地，占全省土地总面积的7.75%；褐土分布面广，上接棕壤，分布于海拔1000米以下的山地丘陵和山麓平原，占全省土地总面积的30.83%；潮土主要分布在海拔50米以下的平原区，占全省土地总面积的25.81%；盐土、碱土分布在滨海平原、坝上湖淖周边和低平原洼地，占全省土地总面积的0.22%；风沙土分布在滦河、永定河、大清河、子牙河、漳卫河等河流两岸及古河道，占全省土地总面积的1.11%；灰色森林土、黑土等，集中分布在坝上高原东部，面积分别占全省土地总面积的0.64%和0.01%。

6 动植物概况

6.1 植物资源

6.1.1 植物资源种类

河北省植物种类繁多，全省共有植物2685种，分属于213科1002属，温带区系成分占绝对优势。菊科、禾本科、豆科、蔷薇科植物种类最多；莎草科、百合科、唇形科、伞形科、毛茛科、十字花科、石竹科、壳斗科、桦木科、松科、柏科、槭树科、杨柳科植物分布也比较广泛。植物科属种统计见表1-2。

表1-2 河北省高等植物基本情况统计表

植物类别	科数	属数	种数	亚种	变种	变型
苔藓植物	52	145	394	2	27	4
蕨类植物	20	36	93		5	1
裸子植物	4	11	25		6	1
被子植物	137	810	2173	17	281	43
高等植物(合计)	213	1002	2685	19	319	49

根据1984年国务院环境保护委员会公布的我国第一批珍稀濒危植物和1999年国务院批准公布的《国家重点保护野生植物名录》(第一批)，河北省有国家Ⅱ级重点保护植物8种，即连香树、野大豆、黄檗、紫椴、乌苏里狐尾藻、珊瑚菜、发菜、莲。列入濒危野生动植物种国际贸易公约(CITES)附录的有32种，包括河北所有兰科植物。

6.1.2 植被类型

按照中国植被分类系统，河北省共有7个植被型组，61个群系组。由于区域性和地带性气候条件、地形地貌、土壤类别和历史上开发利用情况差异很大，形成了植被类型的多样性。其分布随地势升降和水热条件的变化，呈明显的地带性和垂直分布规律。

(1)坝上高原：地带性原生植被为典型草原、草甸草原和白桦为主的岛状森林以及沼泽和水生植被。典型草原主要分布在西部，植物组成以旱生丛生禾草的针茅属植物占优势，并有冷蒿、小叶锦鸡儿等半灌木和小灌木散生其间；草甸草原主要分布在东部，优势植物是羊草，伴生以线叶菊和其他杂类草；交互分布的岛状森林的乔木树种主要是白桦、华北落叶松等；沼泽和水生植被主要分布在河流、湖淖和滩地等湿地。

(2)山地：原生植被落叶阔叶林和温性针叶林，多被次生演替类型和栽培植被所取代，现仅残存于边远地区。冀西北山地常见植被群系有白桦林(与棘皮桦混生)、山杨林(兼有白桦、棘皮桦混生)、辽东栎林(伴生有色木槭)和沟谷中生阔叶林。森林植被破坏后，多为灌丛所代替，常见群系有毛榛灌丛和山杏灌丛。洋河、桑干河盆地常见主要植物群系有荆条灌丛、本氏针茅草丛、碱菀草丛和白羊草、本氏针茅草丛。燕山山地垂直带谱基本规律为：海拔1200米以下多为落叶栎林和落叶栎林破坏后出现的以荆条、酸枣、黄背草、白羊草等植物为主的温性灌草丛；1200~1600米以桦树、山杨林为主；1600~2000米为山地针阔叶混交林或山地针叶林；2000米以上的亚高山地带为亚高山草甸。冀西山地海拔800米以下有山杏、荆条、黄背草灌草丛，小叶白蜡、三裂绣线菊灌丛，毛黄栌、荆条灌丛，蚂蚱腿子、荆条、大花溲疏灌丛，荆条、酸枣灌丛，野皂荚、荆条灌丛；海拔800~1500米优势植被类型为落叶栎林，主要有栓皮栎、槲树、槲栎、辽东栎等，并混生有桦树、山杨等；海拔1500~2000米为针阔叶混交林带，为桦木与白杆混交；1800~2400米为华北落叶松与白杆、臭冷杉混交；2400~2500米以华北落叶松为主；1800米以上为针叶林带，2500米为森林上限，以上为亚高山草甸。

(3)平原：历史上开发较早，原生落叶阔叶林和草甸为人工栽培植被所代替。芦苇、狭叶香蒲沼泽植被现广泛分布于洼淀、坑塘，在地势稍高且盐渍化土壤条件下，芦苇、香蒲群丛为芦苇、盐地碱篷群丛所取代，失水的情况下，为白茅群丛所取代。该群丛为不稳定的群落类型，植被演替完全受水因子的制约，只要有水，可恢复为芦苇、香蒲群丛。

(4)滨海滩涂：原生植被是盐生草本植物群落，为原生演替，人为影响作用较小，影响演替的主要因素为土壤盐分及水分含量的多少。含盐量4%以上的重盐土，为不生长植物的光板裸地；距海稍远，盐分逐渐减少，土壤含盐量为3%时，盐地碱篷经发芽、生长、定居、竞争而成片生长，形成茂密的单优势植物群落，是滨海滩涂地带的先锋植物群落；在地势低洼水分充足的地带，盐地碱篷群丛则被盐角草群丛所取代；盐分稍低的地段，出现点状分布的獐茅；土壤含盐量在2%左右时，獐茅生长良好，形成大面积的盐生草甸，并伴有白茅、二色补血草、蒙古鸦葱、芦苇等；含盐量在1%~2%之间时，除獐茅外，其他杂草成分开始增加，如盐蒿、猪毛蒿、金狗尾草、红蓼等，形成獐茅+盐蒿群丛；含盐量在0.5%左右的地段，白茅构成茂密的草丛，由于白茅生长密集、地下茎发达，相互交织成网，其他植物很难侵入，可以形成几乎是纯白茅的白茅群丛，白茅群丛的土壤环境已经能够满足一些耐盐农作物的生长。

6.2 动物资源

河北省动物资源丰富，分布有许多珍稀物种，南北方耐湿动物在河北省境内互相渗透，许多主要分布在东南亚或旧大陆热带的耐湿种类，其分布区经河北省向北延伸。

根据资料记载，河北省有陆生野生动物588种，隶属于4纲31目105科288属。其中两栖纲1目5科5属10种；爬行纲2目8科13属24种；鸟纲19目69科212属468种；哺乳纲9目23科58属86种。河北省有鱼类211种，其中海洋鱼类100种，淡水鱼类111种。

两栖、爬行、哺乳动物中，列入《国家重点保护陆生野生动物名录》的国家Ⅰ级保护动物有3种，即豹、虎和梅花鹿，国家Ⅱ级保护动物有10种；列入《国家保护的有益的或者有重要经济、科学研究价值的陆生野生动物名录》的陆生野生动物有59种；列入《河北省重点保护陆生野生动物名录》的有34种；列入《世界自然保护联盟(IUCN)濒危物种红色名录》的有18种；列入《濒危野生动植物种国际贸易公约》附录的有15种。

鸟类中，列入《国家重点保护陆生野生动物名录》的国家Ⅰ级保护物种有19种，即短尾信天翁、白鹳、东方白鹳、黑鹳、中华秋沙鸭、金雕、白肩雕、玉带海雕、白尾海雕、虎头海雕、胡兀鹫、黑嘴松鸡、褐马鸡、白头鹤、丹顶鹤、白鹤、大鸨、波斑鸨、遗鸥；国家Ⅱ级保护物种69种；列入《河北省重点保护陆生野生动物名录》的有91种；列入《世界自然保护联盟(IUCN)濒危物种红色名录》的有38种；列入《濒危野生动植物种国际贸易公约》附录的有72种。

由于华北地区湿度条件相对较低，气候具有明显的春季干旱，冬季寒冷、干燥等特点，在地形上与蒙新高原又无明显障碍，因而某些干旱、半干旱地区动物如小沙百灵、凤头百灵、石鸡、斑翅山鹑、草原沙蜥和达乌尔黄鼠等向东部季风区广泛渗透。

第二节 社会经济状况

1 人口和民族

据统计，2013年全省常住人口7333万人，人口密度391人/平方公里。其中：男3724万人，女3609万人，男女性别比为103.17:100。城镇人口有3528万人，乡村人口有3804万人。全省有2222万户。全年出生人口95.6万人，出生率为13.04‰；死亡人口50.4万人，死亡率为6.87‰；净增人口45.2万人，自然增长率为6.17‰(河北省人民政府，2014)。

河北省是多民族省份，除汉族外，还有满族、回族、蒙古族、壮族、朝鲜族、苗族、土家族等53个少数民族，少数民族人口约占总人口的4%。依据《中华人民共和国宪法》，河北省实行民族区域自治，现有6个少数民族自治县。

2 经济发展

据统计，2013年河北省实现地区生产总值28301.4亿元，比上年增长8.2%。其中，第一产业实现增加值3500.4亿元，增长3.5%；第二产业实现增加值14762.1亿元，增长9.0%；第三产业实现增加值10038.9亿元，增长8.4%。人均生产总值为38716元，比上年增加2132元。

2013年河北省全部财政收入完成3652.4亿元，同比增长5%。其中，公共财政预算收入完成

2295.6 亿元，同比增长 10.1%。。公共财政预算支出 4409.6 亿元。

2013 年河北省城镇居民人均可支配收入 22227 元，同比增长 9.9%。人均消费性支出 14970 元。农村居民人均可支配收入 9188 元，比上年增长 12.6%。人均消费支出 7377 元，同比增长 14.4%（河北省人民政府，2014）。

3 工农业生产

3.1 工业和建筑业

据统计，2013 年河北省规模以上工业增加值 11711.1 亿元，同比增长 10%。其中，大型工业企业完成增加值 4871.2 亿元，同比增长 5.8%；中型企业完成增加值 2465.2 亿元，同比增长 6.6%；小型企业完成增加值 4329.9 亿元，同比增长 17.7%。规模以上工业企业实现利润 2560.9 亿元，比上年增长 13.3%。

2013 年河北省建筑业实现年值 5000 亿元，增长 11%；增加值实现 1650 亿元，增长 12.9%。建筑劳务输出 100 万人次，实现产值 1200 亿元（河北省人民政府，2014）。

3.2 农业和林业

据统计，2013 年河北省粮食播种面积 9474 万亩，比上年增加 21 万亩，增长 0.2%；总产量 673 亿斤，增长 3.6%。其中，夏粮产量 280.48 亿斤，增长 3.6%；秋粮产量 392.52 亿斤，增长 3.6%。

2013 年完成造林面积 318737 公顷，与上年同期相比增长 2%，其中，人工造林 238007 公顷，飞播造林 20001 公顷，新封山育林 60729 公顷。园林水果及食用干果产量 134.6 亿公斤。林业产业总产值达 1230.5 亿元（河北省人民政府办公厅 等，2014）。

4 湿地文化

4.1 滦河点滴

滦河，是华北第二大河，也是河北的第二大水系，发源于河北省丰宁满族自治县西北巴颜图古尔山麓，流经沽源县、内蒙古自治区的正蓝旗、多伦县，复入丰宁，至隆化县汇入小滦河，以下始称滦河。向南流经滦平、承德、宽城、兴隆、迁西、迁安、滦县、滦南、昌黎、乐亭，于昌黎县的刘台铺、乐亭县的兜网铺之间注入渤海，全长 877 公里，流域面积 4.49 万平方公里。

早在 4000 年前，滦河两岸就有人栖居。滦河上游不仅是北方游牧民族发展壮大的摇篮，而且是汉族与少数民族政治交往、经济联系、文化交流、民族融合最为活跃的地区。

历史上，皇廷以水路运输粮秣以供应京师或接济军需，称为“漕运”。可供运输的河道叫漕河。自东汉建安十一年（206 年）有记载以来，滦河水运活跃了 1700 多年，其中元朝尤为发达。

元朝建都北京。来自蒙古草原的元朝统治集团艳羡北京的皇家格局和历史地位，但受不了北京的盛夏酷热，早年他们在滦河上游北岸原开平府（今内蒙古多伦县）建都，叫做“上都”，每年四至九月便到此处理朝政。上都作为政治、经济、文化中心集中天下各地的精华，主要借助了滦河水运的畅通。南方贡品进入皇廷的三条水道之一就是由芦台经蚕沙口到滦河，直到上都。因此，滦河水运非常重要。忽必烈至元十九年(1282 年)5 月敕令“造船于滦州”。“造大小船两千艘，以备漕运”。至元二十八年(1291 年)，大臣姚演奉敕疏浚滦河，漕运上都，备用船只 500 艘，水手 1 万名，纤夫 24000 名，可见规模之大。

4.2 历史悠久的白洋淀

白洋淀历史悠久。古白洋淀位于新生代以来由于差异性断陷下沉所形成的冀中凹陷之中。新生代新三纪，冀中凹陷趋于填平，形成古白洋淀——文安洼古湖盆区。随着气候变化，海水入浸，古白洋淀水域时而扩张，时而收缩。到距今 2500 年开始的晚全新世，气候转向干旱，雨量变小，白洋淀水变浅，水域范围收缩，局部干涸，水域连片的古白洋淀逐步解体。白洋淀解体后形成若干淀泊。随着历史的发展，古籍中对白洋淀区域的淀泊有了文字记载。北宋时期，白洋淀边州县，为防御穿淀河流洪水为害，相继在白洋淀边筑堤。宋仁宗庆历年间(1041～1048 年)，任丘在白洋淀水域东侧筑堤。白洋淀北侧，安州城北，易水河畔筑有古堤。白洋淀开始有堤防环绕。嘉靖年间，白洋淀载入志书。明嘉靖《河间府志》(1540 年修)记载：“白洋淀(在)关城，周六十里，与安州、新安、高阳共之。深广四通，芰荷交匝，望之若江湖焉。”嘉靖、万历年间，白洋淀水域宽阔，遍布菱、荷、芦苇，风景秀丽，文人墨客留下很多赞美白洋淀的诗句，将白洋淀比作西湖、洞庭、太湖一样美丽。但当时白洋淀堤防矮小，淀边州县黎民百姓苦于水患频繁。为此，清代多次修复白洋淀堤防。经过康熙、雍正、乾隆时期的治理，白洋淀区经济有所发展，自然景色更为优美。《清史稿·地理志》记载，乾隆二十八年(1763 年)划定了西淀和东淀的界线，大清河自雄县下行经过张青口(今文安县舍兴西北)，口西为西淀，口东为东淀。据此，张青口以西的柴禾淀(今百草洼)、大港淀、烧车淀、白洋波等淀泊，均属西淀。封建帝王在白洋淀内依村傍水修建了赵北口、圈头、端村等行宫，以观赏白洋淀秀丽的自然风景。

1937 年，抗日战争爆发。白洋淀芦苇丛蔽，各淀之间壕沟相连，成为淀区人民打击日本侵略军的有利条件，是抗日根据地之一。由中国共产党组织领导的抗日武装力量“雁翎队”，以芦苇掩护，乘小船来往于苇地壕沟，神出鬼没，歼灭敌人，袭击日军汽艇，粉碎了敌人利用津保航线运送军火物资，扫荡晋察冀边区抗日根据地的企图。如今，随着“雁翎队”英雄事迹的传颂和以白洋淀军民抗日为题材的文学作品《新儿女英雄传》《荷花淀》《小兵张嘎》的广泛传播，白洋淀已驰名中外。白洋淀的名称，逐步取代了西淀的名称。

4.3 生态明珠衡水湖

衡水湖，俗称“千顷洼”，又叫“千顷洼水库”，现有湖面面积 75 平方公里。衡水湖在历史资料中多有记载，曾被称为博广池、冀州海子、冀衡大洼、千顷洼等，直到 1958 年才定名为衡水湖。衡水湖在历史上曾为禹黄河、漳河、滹沱河故道，水灾频繁。尽管历代州县曾多次治理衡水湖，以趋利避害，造福民众，但真正科学规划、整体治理衡水湖还是在新中国成立以后。1958 年，冀县对衡水湖重新治理，在洼内筑西围堤，搞东洼蓄水灌溉。1972 年冀县修建东洼水库。1974 年衡水地区(现衡水市)又组织冀县、枣强、武邑、衡水四县重修东洼。1977 年扩建西洼，到 1978 年，将衡水湖建成了一个能引、能蓄、能排的成套蓄水工程。

芦苇和蒲草是衡水湖最为广泛的野生植物。据史料记载，自隋朝开始，湖畔的人民就利用芦苇编制各种生活用品。这种民间艺术发展至今，仍保留了原始的工艺。蒲草是衡水湖引黄河水时带来的外来物种。勤劳的衡水湖人利用蒲草经过处理极具柔韧性的特点，把传统的芦苇编制工艺与蒲草编织结合起来，形成独具特色的编织品。随着历史的变迁，编织工艺也由简单的生活用品发展到工艺品，不仅可以满足当地人民的日常生活需要，而且还成为了他们致富的途径。目前，衡水湖人运用现代科学技术，解决了传统工艺品褪色、不易保存等一系列问题，制作出了更加精美的工艺品，远销美国、韩国、日本等国家，每年可为湖区人民增加收入100多万元。

为了保护衡水湖湿地，2000年7月衡水市政府建立了衡水湖省级自然保护区，2003年6月晋升为国家级自然保护区，衡水湖自然保护区建立以来，出版了《衡水湖国家级自然保护区生物多样性》《衡水湖风物》《华夏湿地衡水湖》等书籍；举办了“美丽的衡水湖”全国摄影大展，并印制了摄影画册。衡水湖湿地越来越引人注目。

4.4 观鸟圣地北戴河

北戴河湿地包括石河口、汤河口、戴河口、洋河口、大蒲河口、新开河口、七里海、滦河口等。每年约有数百万只候鸟南北迁徙经过这里，还有种类数量可观的夏候鸟和留鸟在本地繁衍生息。1936年，我国著名的生物学家寿振黄先生在秦皇岛市沿海等地区观察记录鸟类活动，收集了大量第一手资料后，研究出版了中国第一部鸟类志《河北鸟类志》(Shou Z H, 1936)。1985年，英国剑桥大学博士、著名鸟类专家马丁·威廉姆斯先生首次来到秦皇岛市北戴河区开展观鸟活动，回国后，撰写并发表了大量介绍北戴河自然资源以及北戴河观鸟情况的文章，在英、美等国引起了极大的反响。当年秋季，马丁先生组织了欧美观鸟团不远万里到北戴河开展观鸟活动，开创了面向国际的北戴河观鸟活动，使越来越多的国际爱鸟者认识了北戴河。

1999年5月，举办首届北戴河“海天杯”国际观鸟大赛，来自中国、澳大利亚、罗马尼亚、芬兰、瑞典、丹麦、挪威、英国、法国、日本共10个国家的代表队200多人云集北戴河，切磋观鸟技艺。2005年5月和2009年4月，又先后两次举办北戴河国际观鸟(摄影)大赛。随后3年，连续举办了2010中国·北戴河国际观鸟摄影大展、“北戴河杯”2011中国国际野生鸟类摄影大展和2012中国·北戴河国际观鸟大展。把北戴河的观鸟活动推向了高潮。使北戴河成为了名副其实的世界观鸟圣地。

国际观鸟、摄影大赛(大展)赢得了社会各界爱鸟、护鸟、摄影爱好者的积极响应和参与，唤起了更多人的生态保护意识，观鸟、摄鸟爱好者在爱护和不惊扰鸟类生活的前提下，科学观鸟、摄鸟，取得了良好的社会影响和宣传效果。

4.5 壶流河流域的泥河湾遗址群

蔚县壶流河湿地存有泥河湾遗址群，是我国乃至世界上独具特色的旧石器考古研究基地，泥河湾盆地有国际地质考古界公认的第四纪标准地层，泥河湾盆地、泥河湾地质剖面、泥河湾动植物群、泥河湾文化遗址已成为世界古人类文化等多学科研究的宝库。泥河湾经过中外专家80年的考古发掘和研究，发现了含有早期人类文化遗存的遗址80多处，出土了数万件古人类化石、动物化石和各种石器，几乎记录了从旧石器时代至新石器时代发展演变的全部过程。1995年8月至1998年9月，在以往发掘的基础上，河北省文物研究所和北京大学考古系合作发掘，在于家沟遗址找到了华北地区极为难得的更新世末至全新世中期的地层剖面和文化剖面，该项发掘入选1998年度“全国十大考古新发现”。期间，1996年6～8月，美国印第安大学和河北省文物研究所等单位组成的中美联合考古队，对泥河湾遗址也进行过为期两个月的发掘研究工作，获得了一大批较为珍贵的动物化石和旧石器等实物资料，进一步证实泥河湾盆地是中国人类起源的摇篮，是古人类发祥地之一，是一座有待深入研究、开发利用的巨大科学宝库和世界文化遗产。2001年10月，在泥河湾马圈沟遗址发现了层位最低、时代最早的遗址，发掘出的几百件石制品、动物骨骼，将泥河湾盆地旧石器的年代向前推进了数十万年，达到距今200万年左右。鉴于泥河湾遗址在史前文化中具有的重要地位和价值，2001年3月入选“中国20世纪100项考古大发现”，被国务院列为全国重点文物保护单位。2002年初，泥河湾地质遗迹晋升为国家级自然保护区（谢飞等，2004）。

第二章 湿地类型

第一节 湿地类型与面积

1 湿地类型与面积概况

经调查统计，河北省湿地总面积(不包括唐山市芦台管理区)94. 19 万公顷，湿地率为 5. 02%。其中，自然湿地 69. 46 万公顷，占湿地总面积的 73. 74%；人工湿地 24. 73 万公顷，占湿地总面积的 26. 26%。另据河北省农业厅 2010 年统计数据，河北省有稻田湿地面积 8. 53 万公顷。

河北省有近海与海岸湿地、河流湿地、湖泊湿地、沼泽湿地和人工湿地 5 个湿地类 19 个湿地型。自然湿地包括近海与海岸湿地、河流湿地、湖泊湿地、沼泽湿地 4 个湿地类 15 个湿地型，人工湿地包括库塘、运河/输水河、水产养殖场、盐田 4 个湿地型。

从湿地类来看，全省有近海与海岸湿地 23. 19 万公顷，占湿地总面积的 24. 62%；河流湿地 21. 25 万公顷，占湿地总面积的 22. 56%；湖泊湿地 2. 66 万公顷，占湿地总面积的 2. 82%；沼泽湿地 22. 36 万公顷，占湿地总面积的 23. 74%；人工湿地 24. 73 万公顷，占湿地总面积的 26. 26%，如图 2-1。

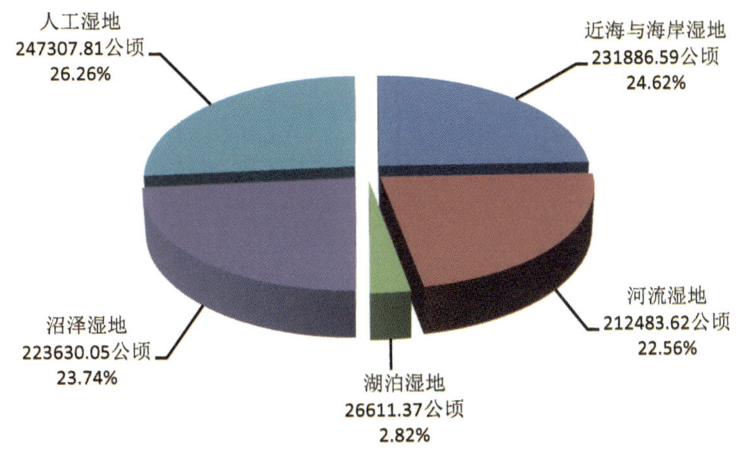

图 **2-1** 河北省各类湿地面积比例图

从湿地型来看，近海与海岸湿地中，浅海水域面积21.01万公顷，沙石海滩面积1.09万公顷，淤泥质海滩面积0.89万公顷，河口水域面积0.11万公顷，三角洲湿地0.09万公顷；河流湿地中，永久性河流面积10.76万公顷，季节性或间歇性河流面积10.49万公顷；湖泊湿地中，永久性淡水湖湿地面积0.39万公顷，永久性咸水湖湿地面积2.13万公顷，季节性咸水湖湿地面积0.14万公顷；沼泽湿地中，草本沼泽湿地面积5.95万公顷，森林沼泽0.02万公顷，内陆盐沼湿地面积0.11万公顷，季节性咸水沼泽湿地面积14.79万公顷，沼泽化草甸面积1.50万公顷；人工湿地中，库塘湿地面积4.99万公顷，运河/输水河面积3.68万公顷，水产养殖场面积7.65万公顷，盐田面积8.41万公顷(表2-1)。

表2-1 河北省湿地类型面积统计表

湿地类型		面积(公顷)	比例(%)
近海与海岸湿地	浅海水域	210086.17	22.30
	沙石海滩	10870.81	1.15
	淤泥质海滩	8914.31	0.95
	河口水域	1142.91	0.12
	三角洲	872.38	0.09
	小 计	231886.59	24.62
河流湿地	永久性河流	107623.37	11.43
	季节性或间歇性河流	104860.25	11.13
	小 计	212483.62	22.56
湖泊湿地	永久性淡水湖	3863.52	0.41
	永久性咸水湖	21348.93	2.27
	季节性咸水湖	1398.92	0.15
	小 计	26611.37	2.82
沼泽湿地	草本沼泽	59503.98	6.32
	森林沼泽	158.21	0.02
	内陆盐沼	1110.31	0.12
	季节性咸水沼泽	147857.47	15.69
	沼泽化草甸	15000.08	1.59
	小 计	223630.05	23.74
人工湿地	库塘	49907.72	5.03
	运河/输水河	36830.58	3.91
	水产养殖场	76509.51	8.12
	盐田	84060.00	8.92
	小 计	247307.81	26.26
合 计		941919.44	100.00

2　近海与海岸湿地类型与面积

近海与海岸湿地是指在近海与海岸地区由天然的滨海地貌形成的浅海、海岸、河口以及海岸性湖泊湿地。近海与海岸湿地分布于河北东部渤海湾，面积 23.19 万公顷，占全省湿地总面积的 24.61%，包括浅海水域、沙石海滩、淤泥质海滩、河口水域和三角洲 5 个湿地型。

2.1　浅海水域

浅海水域指沿海岸线向海域延伸、低潮时水深不足 6 米的水域。分布于秦皇岛市的山海关区、海港区、北戴河区和抚宁县、昌黎县(图 2-2)，唐山市的丰南区和乐亭县、曹妃甸区、滦南县，以及沧州的黄骅市和海兴县。面积 21.01 万公顷，占近海与海岸湿地总面积的 90.60%。

图 **2-2**　昌黎黄金海岸浅海水域(李东胜摄)

图 **2-3**　昌黎黄金海岸沙石海滩(李东胜摄)

2.2 沙石海滩

沙石海滩指底质以砂、砾石为主的滩涂海岸。分布在北部沿海的北戴河口—大清河口之间，以大清河口至南张庄海滩最为发育，在曹妃甸地区也有砾石滩发育，隶属乐亭、昌黎（图 2-3）、抚宁县和北戴河区。该湿地是北戴河、洋河、饮马河、滦河等河流入海泥沙在波浪、海流、潮汐和风力的共同作用下形成的，其河口地区发育有沙州、沙嘴等，滨岸有沙丘，沙丘外侧为砂质海滩，海滩沉积物由灰黄细砂、中粗砂组成，其中常含粗砾及小砾石，自滦河口向北，砂粒平均粒径逐渐增大。砂质海岸全长约 180 公里，宽度由几十米至几公里不等，面积 1.09 万公顷，占近海与海岸湿地总面积的 4.69%。

2.3 淤泥质海滩

淤泥质海滩指潮间植被盖度 <30%，底质以淤泥为主的滩涂海岸。北部岸段从大清河口—涧河口为古滦河三角洲海蚀后形成的淤泥海岸和海滨地势低洼地，岸线外侧有潮滩发育；南部岸段为沧州市黄骅、海兴沿海岸段，淤泥质海岸比较典型；海岸发育着贝壳堤，堤外淤泥质潮滩宽度可达 3～5 公里。隶属海兴、黄骅、丰南、曹妃甸、滦南（图 2-4）以及乐亭，海岸线长 220.20 公里。面积 0.89 万公顷，占近海与海岸湿地总面积的 3.84%。

图 **2-4** 滦南县淤泥质海滩（张培宝摄）

2.4 河口水域

河口水域指近口段的潮区界（潮差为零）至口外滨海段的淡水舌锋缘之间的永久性水域。河北入海河流众多，共有 47 条，在入海处均有一定面积的湿地分布。但是，多数河口水域湿地面积不大，分界线也不太明显。因此，大部分与其他类型的近海与海岸湿地合并，只将较大的滦河河口湿地（图 2-5）划出。面积 0.11 万公顷，占近海与海岸湿地总面积的 0.49%。

图 **2-5**　滦河河口湿地(金照光摄)

2.5　三角洲/沙洲/沙岛

三角洲/沙洲/沙岛指河口由沙岛、沙州、沙嘴等发育而成的冲积低平原。河北省主要分布在滦河入海口(图 2-6)。面积 0.09 万公顷，占近海与海岸湿地总面积的 0.38%。

图 **2-6**　滦河三角洲湿地(金照光摄)

3　河流湿地类型与面积

河流湿地是围绕天然河流水体而形成的河床、河滩、洪泠区等自然体的统称。河北省河流众多，长度 10 公里以上的河流有 300 条，河流湿地面积 21.25 万公顷，包括永久性河流和季节性或间歇性河流 2 个湿地型。

3.1 永久性河流

永久性河流湿地指常年有河水径流的河流。全省永久性河流湿地面积 10.76 万公顷，占河流湿地总面积的 50.65%。全省各地均有分布，如图 2-7。

图 **2-7** 平山县滹沱河湿地(李剑平摄)

3.2 季节性或间歇性河流

季节性或间歇性河流指一年中只有季节性或间歇性有水径流的河流。全省季节性或间歇性河流面积 10.49 万公顷，占河流湿地总面积的 49.35%。全省平原、山区和坝上地区均有分布，如图 2-8。

图 **2-8** 邯郸县支漳河湿地(苗宏志摄)

4 湖泊湿地类型与面积

湖泊湿地是由地面上大小形状不一、充满水体的天然洼地组成的，包括各种天然湖、池、荡、漾、泡、海、错、淀、洼、潭、泊、淖等各种水体名称。河北省湖泊湿地包括永久性淡水湖、永久性咸水湖、季节性咸水湖 3 个湿地型。河北省湖泊湿地较少，总面积 2.66 万公顷。

4.1　永久性淡水湖

永久性淡水湖指由淡水组成的永久性湖泊。河北省永久性淡水湖面积 0.39 万公顷，占湖泊湿地总面积的 14.52%。集中分布在海河区，包括海河北系和海河南系的华北平原，主要有衡水湖(图 2-9)、永年洼等。

图 **2-9**　衡水湖湿地(李洪凯摄)

4.2　永久性咸水湖

永久性咸水湖指由微咸水或咸水或盐水组成的永久性湖泊。河北省永久性咸水湖面积 2.13 万公顷，占湖泊湿地总面积的 80.22%。分布在内蒙古高原内陆河区和西辽河区，主要有安固里淖、察汗淖、囫囵尔淖、黄盖淖、康巴诺尔(图 2-10)等。

图 **2-10**　康保县康巴诺尔湿地(李东胜摄)

4.3 季节性咸水湖

季节性咸水湖指由微咸水/咸水/盐水组成的季节性或间歇性湖泊。主要分布在张家口地区的沽源(图 2-11)、张北、康保等地，有沽源的九连城淖、康保的盐淖、张北的樟木淖等。河北省季节性咸水湖面积 0.14 万公顷，占湖泊湿地总面积的 5.26%。

图 **2-11** 沽源县红石垃淖湿地(殷建伟摄)

5 沼泽湿地类型与面积

沼泽湿地是指具有以下 3 个特征的自然综合体：一是受淡水、咸水或盐水的影响，地表经常过湿或有薄层积水；二是生长沼生和部分湿生、水生或盐生植物；三是有泥炭积累或尽管无泥炭积累，但在土壤层中具有明显的潜育层。河北省沼泽湿地总面积 22.36 万公顷，包括草本沼泽、森林沼泽、内陆盐沼、季节性咸水沼泽和沼泽化草甸 5 个湿地型。

5.1 草本沼泽

草本沼泽指由水生和沼生的草本植物组成优势群落的淡水沼泽。河北省草本沼泽湿地面积 5.95 万公顷，占沼泽湿地总面积的 26.61%。在保定、张家口、沧州、唐山、衡水、石家庄、邯郸等市均有分布(图 2-12)。

5.2 森林沼泽

森林沼泽指以乔木森林植物为优势群落的淡水沼泽。河北省森林沼泽面积较小，仅 0.02 万公顷，占沼泽湿地的 0.07%。主要分布在承德坝上地区(图 2-13)。

5.3 内陆盐沼

内陆盐沼指受盐水影响，生长盐生植被的沼泽。河北省内陆盐沼面积 0.11 万公顷，占沼泽湿地总面积的 0.49%。主要分布在张家口坝上地区(图 2-14)。

图 **2-12**　围场县坝上草本沼泽湿地（杨丽摄）

图 **2-13**　承德塞罕坝森林沼泽湿地（张菲摄）

图 **2-14**　沽源县内陆盐沼湿地（崔建军摄）

5.4 季节性咸水沼泽

季节性咸水沼泽指受微咸水或咸水影响，只在部分季节维持浸湿或潮湿状况的沼泽。河北省季节性咸水沼泽面积 14.79 万公顷，占沼泽湿地总面积的 66.12%。主要分布在张家口和承德坝上地区(图 2-15)。

图 **2-15** 沽源县季节性咸水沼泽(殷建伟摄)

5.5 沼泽化草甸

沼泽化草甸为典型草甸向沼泽植被的过度类型，是在地势低洼、排水不畅、土壤过分潮湿、通透性不良的环境条件下发育起来的。河北省沼泽化草甸面积 1.50 万公顷，占沼泽湿地总面积的 6.71%。主要分布在承德和张家口一带(图 2-16)。

图 **2-16** 丰宁县沼泽化草甸 (张静摄)

6　人工湿地类型与面积

河北省人工湿地总面积24.73万公顷，包括库塘、运河/输水河、水产养殖场和盐田4个湿地型。其中库塘湿地面积4.99万公顷，占人工湿地总面积的20.18%（图2-17）；运河/输水河面积3.68万公顷，占人工湿地总面积的14.89%；水产养殖场面积7.65万公顷，占人工湿地总面积的30.94%；盐田面积8.41万公顷，占人工湿地总面积的33.99%。

图**2-17**　怀来县官厅水库湿地（陈涛摄）

第二节
湿地的分布规律

河北省地处黄河下游以北，背山面海，地势自西北向东南呈半环状逐级下降。河北省最北部为坝上高原，燕山山脉近于东西走向横亘在北部，太行山脉大致呈南北走向屹立于西部，燕山以南、太行山以东的广大地区是冲积平原。特殊的地理位置和地质地貌决定了河北省湿地的分布规律。

河北省湿地遍布全省，但总体上东部地区多于西部地区，北部地区多于中南部地区。按地貌类型、湿地类型和湿地数量，全省大体可分为坝上高原、东部沿海以及山地和平原等三个区域。东部沿海地区以近海与海岸湿地、人工湿地为主，湿地最多，面积43.90万公顷，湿地率最高，为31.64%；北部坝上地区湿地也较多，类型以沼泽湿地和湖泊湿地为主，面积达20.07万公顷，湿地率为13.90%；山地及平原地区以河流湿地和人工湿地为主，分布较广，面积为30.22万公顷，湿地率仅1.87%。

1　各湿地区湿地类型与面积分布

全省共划分出182个湿地区，其中单独区划湿地区28个，零星湿地区154个。

单独区划湿地区中张家口坝上湿地区面积最大，湿地总面积 16.36 万公顷，其中河流湿地 0.40 万公顷，湖泊湿地 2.25 万公顷，沼泽湿地 13.61 万公顷，人工湿地 0.09 万公顷；其次是海兴湿地区，湿地总面积 15.04 万公顷，包括近海与海岸湿地 8.24 万公顷，河流湿地 0.04 万公顷，沼泽湿地 0.20 万公顷，人工湿地 6.55 万公顷；第三是曹妃甸湿地区，湿地总面积 14.53 万公顷，其中近海与海岸湿地 7.39 万公顷，河流湿地 0.10 万公顷，沼泽湿地 1.08 万公顷，人工湿地 5.96 万公顷；群英湖湿地区面积最小，湿地总面积 0.03 万公顷，其中河流湿地 9.67 公顷，沼泽湿地 57.06 公顷，人工湿地 0.02 万公顷。

零星湿地区中，湿地面积排在前三位的依次是：乐亭县湿地区，6.29 万公顷；蔚县湿地区，1.05 万公顷；涞源县湿地区，0.82 万公顷。

1.1 各湿地区近海与海岸湿地分布

全省有 8 个湿地区分布有近海与海岸湿地，湿地面积最大的为海兴湿地区，面积 8.24 万公顷，占近海与海岸湿地总面积的 35.55%；其次为曹妃甸湿地区，面积 7.39 万公顷，占近海与海岸湿地总面积的 31.86%；第三为乐亭县零星湿地区，面积 3.62 万公顷，占近海与海岸湿地总面积的 15.60%(表 2-2)。

1.2 各湿地区河流湿地分布

全省有 155 个湿地区有河流湿地。面积最大的为滦河湿地区，面积 3.14 万公顷，占河流湿地总面积的 14.80%；其次为洋河湿地区，面积 1.07 万公顷，占河流湿地总面积的 5.04%；第三为潮白河湿地区，面积 0.94 万公顷，占河流湿地总面积的 4.44%(表 2-3)。

表 2-2 河北省各湿地区近海与海岸湿地面积统计表(公顷)

湿地区 \ 湿地类型	合 计	浅海水域	沙石海滩	淤泥质海岸	河口水域	三角洲
合 计	231886.59	210086.17	10870.81	8914.32	1142.91	872.38
昌黎黄金海岸湿地区	22414.96	16460.06	5954.90			
滦河河口湿地区	2326.74		311.45		1142.91	872.38
北戴河沿海湿地区	9233.49	7386.74	1846.75			
海兴湿地区	82441.72	82441.72				
曹妃甸湿地区	73885.17	67771.01		6114.16		
乐亭县湿地区	36178.43	30620.56	2757.71	2800.16		
海港区湿地区	2671.70	2671.70				
山海关区湿地区	2734.38	2734.38				

表 2-3 河北省各湿地区河流湿地面积统计表(公顷)

湿地区 \ 湿地类型	合 计	永久性河流	季节性河流
合 计	212483.62	107623.37	104860.25
白洋淀湿地区	1173.52	49.52	1124.00
张家口坝上湿地区	4000.13	455.10	3545.03
衡水湖湿地区	702.90	606.63	96.27
滦河湿地区	31445.57	17924.97	13520.60
海兴湿地区	389.40	210.03	179.37
潮白河湿地区	9438.43	4619.77	4818.66
洋河湿地区	10717.67	6706.55	4011.12
群英湖湿地区	9.67		9.67
闪电河湿地区	549.88	370.29	179.59
曹妃甸湿地区	967.33	967.33	
西大洋水库湿地区	28.50	28.50	
永年洼湿地区	54.60	54.60	
朱庄水库湿地区	43.92	43.92	
河北塞罕坝国家级自然保护区湿地区	1703.83	1517.03	186.80
河北御道口自然保护区湿地区	16.23	16.23	
长安区湿地区	584.64	79.69	504.95
石家庄市桥东区湿地区	62.86	62.86	
石家庄市新华区湿地区	9.77	9.77	
井陉县湿地区	93.39	93.39	
正定县湿地区	1533.06	1533.06	
栾城县湿地区	1744.72		1744.72
行唐县湿地区	68.83	68.83	
灵寿县湿地区	1677.30		1677.30
高邑县湿地区	2316.74	240.77	2075.97
深泽县湿地区	545.10	545.10	
赞皇县湿地区	988.32		988.32
无极县湿地区	1501.44	1211.34	290.10
平山县湿地区	469.21		469.21
元氏县湿地区	2747.83	2608.02	139.81
赵县湿地区	1160.62	669.49	491.13
藁城市湿地区	206.19	206.19	
晋州市湿地区	2045.56		2045.56
新乐市湿地区	245.93		245.93

（续）

湿地类型 / 湿地区	合　计	永久性河流	季节性河流
鹿泉市湿地区	2344.41		2344.41
路南区湿地区	412.62	106.42	306.20
路北区湿地区	94.34	45.21	49.13
古冶区湿地区	163.78	89.17	74.61
开平区湿地区	352.85	11.24	341.61
丰南区湿地区	138.47		138.47
丰润区湿地区	1646.73	1596.81	49.92
滦县湿地区	705.49		705.49
滦南县湿地区	2377.90	2039.41	338.49
乐亭县湿地区	1925.19	1925.19	
迁西县湿地区	3632.07	3624.17	7.90
玉田县湿地区	2407.53	1903.94	503.59
曹妃甸区湿地区	1198.38	194.65	1003.73
遵化市湿地区	414.58	414.58	
迁安市湿地区	1483.78	1235.39	248.39
汉沽管理区湿地区	3634.70	2743.89	890.81
海港区湿地区	62.52	60.12	2.40
山海关区湿地区	313.58	252.31	61.27
昌黎县湿地区	641.17	641.17	
抚宁县湿地区	72.07	72.07	
卢龙县湿地区	1837.91	1837.91	
邯山区湿地区	2592.33	1977.76	614.57
丛台区湿地区	1902.41	1828.09	74.32
复兴区湿地区	67.60	50.47	17.13
峰峰矿区湿地区	39.93	27.05	12.88
邯郸县湿地区	44.11		44.11
临漳县湿地区	281.34	80.94	200.40
大名县湿地区	185.60	75.63	109.97
涉县湿地区	1442.15	1442.15	
磁县湿地区	729.17	729.17	
永年县湿地区	1484.23	1402.16	82.07
邱县湿地区	770.78	531.26	239.52

（续）

湿地类型 湿地区	合 计	永久性河流	季节性河流
鸡泽县湿地区	777.49	604.67	172.82
魏县湿地区	202.67		202.67
曲周县湿地区	146.44	60.46	85.98
武安市湿地区	4.63	4.63	
邢台市桥东区湿地区	239.12	239.12	
邢台市桥西区湿地区	287.09	43.52	243.57
邢台县湿地区	2758.57	1325.82	1432.75
临城县湿地区	61.46	47.90	13.56
内丘县湿地区	425.50	192.22	233.28
柏乡县湿地区	4651.96	2090.21	2561.75
隆尧县湿地区	1672.17	925.00	747.17
任县湿地区	1656.53	139.00	1517.53
南和县湿地区	134.59	111.13	23.46
宁晋县湿地区	1235.53	1118.63	116.90
巨鹿县湿地区	274.84	214.14	60.70
新河县湿地区	319.60	59.72	259.88
广宗县湿地区	842.03	415.64	426.39
平乡县湿地区	437.39		437.39
威县湿地区	423.29	87.03	336.26
清河县湿地区	155.50		155.50
临西县湿地区	173.01	42.25	130.76
南宫市湿地区	379.00		379.00
沙河市湿地区	171.60	90.76	80.84
新市区湿地区	72.20	72.20	
北市区湿地区	255.46		255.46
南市区湿地区	4023.63	239.77	3783.86
满城县湿地区	122.00		122.00
清苑县湿地区	75.43		75.43
涞水县湿地区	104.11		104.11
阜平县湿地区	971.46		971.46
徐水县湿地区	1028.50		1028.50
定兴县湿地区	2985.07	2333.16	651.91

（续）

湿地类型 湿地区	合　计	永久性河流	季节性河流
唐县湿地区	4040.14	3078.64	961.50
高阳县湿地区	448.87		448.87
容城县湿地区	1100.15	1036.64	63.51
涞源县湿地区	1135.07	827.26	307.81
望都县湿地区	521.41		521.41
易县湿地区	332.62	290.15	42.47
曲阳县湿地区	8169.27	914.13	7255.14
蠡县湿地区	83.90		83.90
顺平县湿地区	2965.78	1819.09	1146.69
博野县湿地区	1488.32	343.71	1144.61
雄县湿地区	790.47	7.51	782.96
涿州市湿地区	616.01	156.03	459.98
定州市湿地区	254.49		254.49
安国市湿地区	532.64	429.11	103.53
高碑店市湿地区	2249.28	1314.59	934.69
宣化县湿地区	2186.02		2186.02
蔚县湿地区	448.01		448.01
阳原县湿地区	453.82	406.91	46.91
怀来县湿地区	387.88	387.88	
涿鹿县湿地区	419.29	131.79	287.50
兴隆县湿地区	6701.79	2451.95	4249.84
平泉县湿地区	6325.52	4927.87	1397.65
围场满族蒙古族自治县湿地区	1190.09		1190.09
沧县湿地区	2643.91	830.20	1813.71
青县湿地区	552.06		552.06
东光县湿地区	1297.16	398.04	899.12
海兴县湿地区	3471.77	2665.79	805.98
盐山县湿地区	357.72		357.72
肃宁县湿地区	533.74		533.74
南皮县湿地区	960.38		960.38
吴桥县湿地区	554.84		554.84
献县湿地区	734.57		734.57

（续）

湿地类型 湿地区	合　计	永久性河流	季节性河流
孟村回族自治县湿地区	113.11		113.11
泊头市湿地区	314.86		314.86
任丘市湿地区	827.59		827.59
黄骅市湿地区	563.16	251.16	312.00
河间市湿地区	161.72		161.72
安次区湿地区	1169.98		1169.98
广阳区湿地区	361.29	178.90	182.39
固安县湿地区	457.53		457.53
永清县湿地区	709.39	142.77	566.62
香河县湿地区	769.48	510.87	258.61
大城县湿地区	288.13	68.74	219.39
文安县湿地区	948.53	57.39	891.14
大厂回族自治县湿地区	334.59		334.59
霸州市湿地区	895.09	895.09	
三河市湿地区	435.46	351.38	84.08
桃城区湿地区	1643.07	1512.12	130.95
枣强县湿地区	294.51	294.51	
武邑县湿地区	1213.88	1117.36	96.52
武强县湿地区	797.18	797.18	
饶阳县湿地区	338.39	278.77	59.62
安平县湿地区	147.08		147.08
故城县湿地区	295.65	74.65	221.00
景县湿地区	346.90	89.83	257.07
阜城县湿地区	476.36		476.36
冀州市湿地区	1741.77		1741.77
深州市湿地区	116.10		116.10

1.3　各湿地区湖泊湿地分布

全省湖泊湿地主要分布在张家口坝上湿地区、衡水湖湿地区、滦河湿地区、潮白河湿地区、闪电河湿地区、河北御道口省级自然保护区湿地区和阳原县湿地区。面积最大的为张家口坝上湿地区，为2.25万公顷，占湖泊湿地总面积的84.74%；其次是衡水湖湿地区，面积为0.27万公顷，占湖泊湿地总面积的10.03%，第三是闪电河湿地区，面积为0.09万公顷，占湖泊湿地总面积的3.20%（表2-4）。

表 2-4 河北省各湿地区湖泊湿地面积统计表(公顷)

湿地类型 湿地区	合 计	永久性淡水湖	永久性咸水湖	季节性咸水湖
合 计	26611.37	3863.52	21348.93	1398.92
张家口坝上湿地区	22549.46	441.18	20731.67	1376.61
衡水湖湿地区	2669.14	2669.14		
滦河湿地区	50.78	50.78		
潮白河湿地区	44.22	44.22		
闪电河湿地区	852.82	213.25	617.26	22.31
河北御道口自然保护区湿地区	90.78	90.78		
阳原县湿地区	354.17	354.17		

1.4 各湿地区沼泽湿地分布

全省有41个湿地区有沼泽湿地，面积最大的是张家口坝上湿地区，面积为13.61万公顷，占沼泽湿地的60.87%，湿地型包括草本沼泽、内陆盐沼、季节性咸水沼泽和沼泽化草甸；其次是白洋淀湿地区，面积为2.02万公顷，占沼泽湿地的9.04%，全部为草本沼泽；第三是闪电河湿地区，面积1.92万公顷，占沼泽湿地的8.57%，湿地型包括季节性咸水沼泽和沼泽化草甸(表2-5)。

表 2-5 河北省各湿地区沼泽湿地面积统计表(公顷)

湿地类型 湿地区	合 计	草本沼泽	森林沼泽	内陆盐沼	季节性咸水沼泽	沼泽化草甸
合 计	223630.05	59503.98	158.21	1110.31	147857.47	15000.08
白洋淀湿地区	20221.53	20221.53				
沧州南大港湿地区	5710.54	5710.54				
张家口坝上湿地区	136131.14	4691.76		1110.31	128745.22	1583.85
衡水湖湿地区	3131.73	3131.73				
滦河湿地区	1076.28	145.01				931.27
东武仕水库湿地区	46.24	46.24				
岗南水库湿地区	609.10	609.10				
官厅水库湿地区	1526.54	1526.54				
海兴湿地区	2029.91	2029.91				
黄壁庄水库湿地区	1387.62	1387.62				
潮白河湿地区	142.17	142.17				
洋河湿地区	2159.55	2159.55				
群英湖湿地区	57.06	57.06				

（续）

湿地类型 湿地区	合　计	草本沼泽	森林沼泽	内陆盐沼	季节性咸水沼泽	沼泽化草甸
闪电河湿地区	19162.09				19112.25	49.84
曹妃甸湿地区	10827.52	10720.55				106.97
王快水库湿地区	362.59	362.59				
岳城水库湿地区	675.35	675.35				
西大洋水库湿地区	366.08	366.08				
永年洼湿地区	762.56	762.56				
河北塞罕坝国家级自然保护区湿地区	4188.69		158.21			4030.48
河北御道口自然保护区湿地区	8278.41					8278.41
井陉矿区湿地区	99.07	99.07				
行唐县湿地区	294.85	294.85				
灵寿县湿地区	28.20	28.20				
平山县湿地区	19.94	19.94				
临城县湿地区	37.56	37.56				
满城县湿地区	135.86	135.86				
阜平县湿地区	343.56	343.56				
高阳县湿地区	56.67	56.67				
涞源县湿地区	9.14	9.14				
易县湿地区	430.92	430.92				
曲阳县湿地区	10.71	10.71				
蠡县湿地区	8.85	8.85				
蔚县湿地区	2954.66	2954.66				
怀来县湿地区	21.16	21.16				
平泉县湿地区	19.26					19.26
任丘市湿地区	129.37	129.37				
文安县湿地区	80.54	80.54				
霸州市湿地区	8.51	8.51				
桃城区湿地区	29.26	29.26				
冀州市湿地区	59.26	59.26				

1.5 各湿地区人工湿地分布

全省有 149 个湿地区有人工湿地分布。面积最大的是海兴湿地区，面积 6. 55 万公顷，占人工湿地总面积的 26. 50%，主要湿地型为盐田和水产养殖场，面积分别为 5. 58 万公顷和 0. 85 万公顷，两者之和占海兴人工湿地面积的 98. 16%；其次是曹妃甸湿地区，面积 5. 96 万公顷，占人工湿地总面积的 24. 11%，主要湿地型为水产养殖场和盐田，面积分别为 4. 50 万公顷和 1. 27 万公顷，两者之和占曹妃甸区人工湿地面积的 96. 62%；第三是乐亭县湿地区，面积 2. 30 万公顷，占人工湿地总面积的 9. 32%，主要湿地型为盐田和水产养殖场，面积分别为 1. 42 万公顷和 0. 87 万公顷，两者之和占乐亭县人工湿地面积的 99. 41%（表 2-6）。

表 2-6 河北省各湿地区人工湿地面积统计表（公顷）

湿地类型 湿地区	合 计	库塘	运河/输水河	水产养殖场	盐田
合 计	247307. 81	49907. 72	36830. 58	76509. 51	84060. 00
昌黎黄金海岸湿地区	2437. 52			2437. 52	
滦河河口湿地区	2566. 76			2566. 76	
北戴河沿海湿地区	220. 20	220. 20			
沧州南大港湿地区	1273. 32				1273. 32
张家口坝上湿地区	922. 51	876. 68	45. 83		
衡水湖湿地区	293. 66		293. 66		
滦河湿地区	6576. 70	6576. 70			
东武仕水库湿地区	1172. 66	1172. 66			
陡河水库湿地区	2028. 36	2028. 36			
岗南水库湿地区	3135. 47	3135. 47			
官厅水库湿地区	4636. 35	4636. 35			
海兴湿地区	65526. 83	317. 85	890. 48	8475. 87	55842. 63
黄壁庄水库湿地区	2494. 13	2494. 13			
潮白河湿地区	333. 15	333. 15			
洋河湿地区	1105. 27	989. 66	115. 61		
丘庄水库湿地区	803. 37	803. 37			
群英湖湿地区	186. 20	186. 20			
闪电河湿地区	606. 20	606. 20			
石河水库湿地区	352. 95	352. 95			
曹妃甸湿地区	59633. 75	1259. 77	754. 15	44964. 65	12655. 18
王快水库湿地区	3155. 74	3155. 74			
岳城水库湿地区	1179. 31	1179. 31			

（续）

湿地类型 湿地区	合　计	库塘	运河/输水河	水产养殖场	盐田
西大洋水库湿地区	1781.37	1781.37			
朱庄水库湿地区	560.27	560.27			
河北御道口自然保护区湿地区	18.47	18.47			
长安区湿地区	72.06		72.06		
石家庄市桥东区湿地区	19.31		19.31		
石家庄市桥西区湿地区	100.09		100.09		
石家庄市新华区湿地区	189.07		189.07		
裕华区湿地区	32.41		32.41		
井陉县湿地区	230.09	230.09			
正定县湿地区	174.78		174.78		
栾城县湿地区	30.70		30.70		
行唐县湿地区	515.48	515.48			
灵寿县湿地区	918.09	918.09			
高邑县湿地区	48.79	0.00	48.79		
赞皇县湿地区	314.65	202.17	112.48		
平山县湿地区	99.74	99.74	0.00		
元氏县湿地区	536.53	281.36	255.17		
赵县湿地区	44.94		44.94		
辛集市湿地区	117.45		117.45		
藁城市湿地区	131.13		131.13		
晋州市湿地区	153.01		153.01		
新乐市湿地区	254.37		254.37		
鹿泉市湿地区	290.75	41.67	249.08		
路南区湿地区	440.85	440.85			
古冶区湿地区	627.45	627.45			
丰南区湿地区	6918.90	624.67	1294.09	5000.14	
丰润区湿地区	56.70		56.70		
滦县湿地区	5.60		5.60		
滦南县湿地区	659.84		264.90	394.94	
乐亭县湿地区	23046.16	66.38	69.69	8665.28	14244.81
迁西县湿地区	3469.27	3469.27			
曹妃甸区湿地区	4189.12		338.21	3850.91	
遵化市湿地区	468.67	468.67			

（续）

湿地区＼湿地类型	合 计	库塘	运河/输水河	水产养殖场	盐田
汉沽管理区湿地区	336.59		183.15	153.44	
昌黎县湿地区	615.56	66.83	548.73		
抚宁县湿地区	1622.77	1622.77			
卢龙县湿地区	8.46	8.46			
丛台区湿地区	11.74	11.74			
峰峰矿区湿地区	38.30		38.30		
邯郸县湿地区	175.56		175.56		
临漳县湿地区	135.78		135.78		
成安县湿地区	165.71		165.71		
大名县湿地区	156.99		156.99		
涉县湿地区	77.34	73.20	4.14		
磁县湿地区	585.16	8.43	576.73		
肥乡县湿地区	204.05		204.05		
永年县湿地区	259.65		259.65		
邱县湿地区	180.99		180.99		
鸡泽县湿地区	126.38		126.38		
广平县湿地区	52.51		52.51		
馆陶县湿地区	254.01		254.01		
魏县湿地区	577.88		577.88		
曲周县湿地区	332.43		332.43		
武安市湿地区	233.75	211.32	22.43		
邢台市桥西区湿地区	194.86		194.86		
邢台县湿地区	402.53	216.80	185.73		
临城县湿地区	720.19	426.81	293.38		
内丘县湿地区	373.05	145.27	227.78		
隆尧县湿地区	2.55		2.55		
任县湿地区	155.51		155.51		
南和县湿地区	45.62		45.62		
宁晋县湿地区	335.22	16.61	318.61		
巨鹿县湿地区	298.14	32.80	265.34		
新河县湿地区	654.54	65.19	589.35		
广宗县湿地区	94.63		94.63		
平乡县湿地区	40.20		40.20		

（续）

湿地类型 湿地区	合 计	库塘	运河/输水河	水产养殖场	盐田
威县湿地区	223.01		223.01		
清河县湿地区	423.99		423.99		
临西县湿地区	566.01	56.33	509.68		
南宫市湿地区	247.31	23.89	223.42		
沙河市湿地区	391.45	156.13	235.32		
新市区湿地区	11.17		11.17		
满城县湿地区	177.26	72.91	104.35		
清苑县湿地区	21.08		21.08		
涞水县湿地区	169.41	89.06	80.35		
阜平县湿地区	37.66	37.66			
徐水县湿地区	62.77	16.71	46.06		
定兴县湿地区	41.79		41.79		
唐县湿地区	411.19	157.00	254.19		
望都县湿地区	47.68		47.68		
易县湿地区	1373.66	1182.81	190.85		
曲阳县湿地区	319.12		319.12		
顺平县湿地区	186.38	12.78	173.60		
博野县湿地区	18.88		18.88		
涿州市湿地区	21.78		21.78		
定州市湿地区	94.69		94.69		
安国市湿地区	37.09		37.09		
高碑店市湿地区	147.09		147.09		
宣化县湿地区	212.37		212.37		
蔚县湿地区	849.02	849.02			
阳原县湿地区	51.00	51.00			
怀来县湿地区	96.11	57.24	38.87		
沧州市新华区湿地区	31.55	0.00	31.55		
运河区湿地区	164.08	0.00	164.08		
沧县湿地区	1604.37	415.07	1189.30		
青县湿地区	3882.97	81.37	3801.60		
东光县湿地区	764.94	32.02	732.92		
海兴县湿地区	1138.73	88.66	1050.07		
盐山县湿地区	549.19	60.31	488.88		

（续）

湿地类型 湿地区	合　计	库塘	运河/输水河	水产养殖场	盐田
南皮县湿地区	1945. 73	1479. 81	465. 92		
吴桥县湿地区	122. 74		122. 74		
献县湿地区	523. 65		523. 65		
孟村回族自治县湿地区	225. 40		225. 40		
泊头市湿地区	187. 30		187. 30		
任丘市湿地区	346. 60		346. 60		
黄骅市湿地区	2938. 75	633. 22	2261. 47		44. 06
河间市湿地区	417. 94	13. 81	404. 13		
安次区湿地区	258. 64	170. 58	88. 06		
广阳区湿地区	122. 64		122. 64		
固安县湿地区	285. 74		285. 74		
永清县湿地区	418. 42		418. 42		
香河县湿地区	992. 78	73. 74	919. 04		
大城县湿地区	2031. 70	203. 26	1828. 44		
文安县湿地区	1647. 62	244. 36	1403. 26		
大厂回族自治县湿地区	164. 03	32. 72	131. 31		
霸州市湿地区	768. 67		768. 67		
三河市湿地区	286. 43	39. 27	247. 16		
桃城区湿地区	201. 90		201. 90		
枣强县湿地区	257. 68		257. 68		
武邑县湿地区	527. 36		527. 36		
武强县湿地区	158. 78		158. 78		
饶阳县湿地区	52. 41		52. 41		
故城县湿地区	519. 04		519. 04		
景县湿地区	202. 32		202. 32		
阜城县湿地区	229. 04		229. 04		
冀州市湿地区	305. 88		305. 88		
深州市湿地区	168. 65		168. 65		

2 各流域湿地类型与面积分布

根据水利部全国一、二、三级流域分类规定和《全国湿地资源调查技术规程(试行)》，全省划分一级流域 4 个、二级流域 7 个、三级流域 17 个，各流域湿地类和面积见表 2-7。

表 2-7　河北省各流域湿地类和面积统计表(公顷)

一级流域	二级流域	三级流域	总面积	近海与海岸湿地	河流湿地	湖泊湿地	沼泽湿地	人工湿地
合　计			941919.44	231886.59	212483.62	26611.37	223630.05	247307.81
西北诸河区	计		163603.24		4000.13	22549.46	136131.14	922.51
	内蒙古高原内陆河	小　计	163603.24		4000.13	22549.46	136131.14	922.51
		内蒙古高原东部	163603.24		4000.13	22549.46	136131.14	922.51
辽河区	计		6513.76		5192.88		1295.38	25.50
	西辽河	小　计	6151.52		4830.64		1295.38	25.50
		西拉木伦河及老哈河	6151.52		4830.64		1295.38	25.50
	东北沿黄渤海诸河	小　计	362.24		362.24			
		沿渤海西部诸河	362.24		362.24			
海河区	计		496429.48		202316.42	4061.91	86203.53	203847.62
	海河北系	小　计	65727.68		45607.43	398.39	6804.08	12917.78
		北三河山区	13579.02		11744.18	44.22	142.17	1648.45
		永定河册田水库至三家店区间	41501.30		27535.10	354.17	6661.91	6950.12
		北四河下游平原	10647.36		6328.15			4319.21
	海河南系	小　计	245846.61		99165.01	2669.14	37142.58	106869.88
		大清河山区	33308.88		23522.39		1727.23	8059.26
		大清河淀西平原	36076.65		17173.95		17150.75	1751.95
		大清河淀东平原	18737.59		6067.65		3609.40	9060.54
		子牙河山区	28213.79		16585.95		2153.29	9474.55
		黑龙港及运东平原	94107.94		9822.38	2653.56	10734.01	70897.99
		子牙河平原	27903.00		21674.97	15.58	1092.55	5119.90
		漳卫河山区	3953.14		1878.34		675.35	1399.45
		漳卫河平原	3545.62		2439.38			1106.24
	滦河及冀东沿海	小　计	184855.19		57543.98	994.38	42256.87	84059.96
		滦河平原及冀东沿海诸河	101222.11		16896.45		10827.52	73498.14
		滦河山区	83633.08		40647.53	994.38	31429.35	10561.82
滨海湿地区	计		275372.96	231886.59	974.19			42512.18
	滨海湿地	小　计	275372.96	231886.59	974.19			42512.18
		滨海湿地	275372.96	231886.59	974.19			42512.18

2.1 各级流域湿地分布

2.1.1 一级流域湿地分布

一级流域包括西北诸河区、辽河区、海河区和滨海湿地区，如图 2-18。

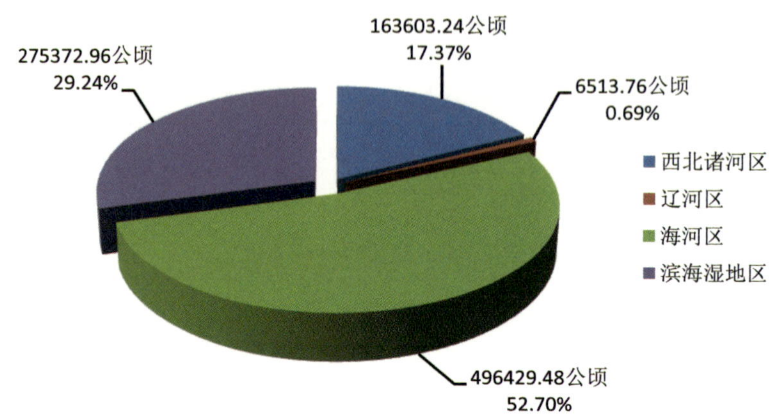

图 **2-18** 河北省一级流域湿地面积结构图

2.1.1.1 西北诸河区

西北诸河区包括 1 个二级流域、1 个三级流域。涉及张家口市康保县、张北县及尚义县北部和沽源县中西部区域。湿地面积 16.36 万公顷，占全省湿地总面积的 17.37%。其中河流湿地 0.40 万公顷，湖泊湿地 2.25 万公顷，沼泽湿地 13.61 万公顷，人工湿地 0.09 万公顷。主要河流有安固里河、三台河、葫芦河、黑水河等；主要湖泊有安固里淖、察汗淖、九连城淖、盐淖、大盐淖、小盐淖、库伦淖等；人工湿地中库塘主要有大青沟水库、黄盖淖水库、海流图水库、石头城水库、七一水库、五甲地水库等。

2.1.1.2 辽河区

辽河区在河北省境内面积较小，包括 2 个二级流域、2 个三级流域。涉及承德市围场满族蒙古族自治县的东北部和平泉县的北部区域。湿地面积 0.65 万公顷，占全省湿地总面积的 0.69%。其中河流湿地 0.52 万公顷，沼泽湿地 0.13 万公顷，人工湿地 25.50 公顷。主要河流有阴河、舍力噶河、老哈河、大凌河等。

2.1.1.3 海河区

海河区包括 3 个二级流域、13 个三级流域。涉及全部 11 个设区市大部分县。湿地面积 49.64 万公顷，占全省湿地总面积的 52.70%。其中河流湿地 20.23 万公顷，湖泊湿地 0.41 万公顷，沼泽湿地 8.62 万公顷，人工湿地 20.38 万公顷。主要河流有闪电河、小滦河、滦河、武烈河、伊逊河、老牛河、柳河、青龙河、石河、洋河、陡河、沙河、汤河、北戴河、双龙河、潮河、黑河、白河、汤河、兴州河、永定河、壶流河、桑干河、北拒马河、南拒马河、唐河、潴龙河、北易水、中易水、瀑河、大清河、木刀沟、滹沱河、子牙河、滏阳河、浊漳河、清漳河、漳河、清凉江、滦泸河等；主要湖泊有白洋淀、衡水湖、永年洼等；人工湿地中库塘主要有闪电河水库、潘家口水库、官厅水库、安各庄水库、西大洋水库、王快水库、石河水库、陡河水库、临城水库、黄壁庄水库、岗南水库、东武士水库、群英湖、玉泉湖等，运河、输水河有南水北调中线、东线工程河北段、北运河、南运河、蓟运河、引滦入津输水河、卫运河、石津干渠、漳卫新河等。

2.1.1.4 滨海湿地区

包括1个二级流域、1个三级流域。涉及秦皇岛市山海关区、海港区、北戴河区、抚宁县、昌黎县，唐山市的乐亭县、滦南县、曹妃甸区、丰南区，沧州市的黄骅市、海兴县。湿地面积27.54万公顷，占全省湿地总面积的29.24%。其中近海与海岸湿地23.19万公顷，河流湿地0.10万公顷，人工湿地4.25万公顷。主要河流有石河、汤河、戴河、洋河、长河、大清河、小清河、小青龙河、沙河、陡河、独流减河、子牙新河、捷地减河、宣惠河等；人工湿地中运河和输水河主要有黄浪渠、廖家洼排干、南排河、北排河、大浪淀排水渠、引滦总排干、黑沿子排干等。

2.1.2 二级流域湿地分布

二级流域包括内蒙古高原内陆河区、西辽河区、东北沿黄渤海诸河区、海河北系区、海河南系区、滦河及冀东沿海诸河区、滨海湿地等7个区，湿地面积最大的为滨海湿地，为27.54万公顷。最小的为东北沿黄渤海诸河区。

2.1.2.1 西北诸河区二级流域

内蒙古高原内陆河二级流域区：其一级流域中仅有此1个二级流域，详细内容见其对应的一级流域——西北诸河区。

2.1.2.2 辽河区二级流域

西辽河区：包括承德市围场满族蒙古族自治县的东北部区域和平泉县的西北部，湿地总面积0.62万公顷，占全省湿地总面积的0.65%。其中河流湿地0.48万公顷，沼泽湿地0.13万公顷，人工湿地25.50公顷。

东北沿黄渤海诸河区：包括承德市平泉县的东北部和秦皇岛市山海关区东北部，湿地总面积0.04万公顷，占全省湿地总面积的0.04%。全部为河流湿地。

2.1.2.3 海河区二级流域

海河北系：包括张家口桥东区、桥西区、宣化区、下花园区、宣化县、赤城县、崇礼县、万全县、尚义县坝下部分、怀安县、阳原县、蔚县、涿鹿县的北半部、怀来县，承德市的丰宁满族自治县的西南部、滦平县的西半部、兴隆县的西部和南部，唐山市路北区、汉沽管理区、丰润区西部和南部、丰南区的西部、遵化县、玉田县、迁西县南部，廊坊市的安次区、广阳区、三河市、大厂回族自治县、香河县、永清县的东部区域。湿地总面积6.57万公顷，占全省湿地总面积的6.98%。其中河流湿地4.56万公顷，湖泊湿地0.04万公顷，沼泽湿地0.68万公顷，人工湿地1.29万公顷。

海河南系：包括邯郸市(大名县东南部除外)、邢台市、石家庄市、保定市、衡水市、沧州市各县，以及廊坊市霸州市、文安县、大城县、永清县的西南部、固安县，张家口市涿鹿县的南半部。湿地面积24.58万公顷，占全省湿地总面积的26.10%。其中河流湿地9.92万公顷，湖泊湿地0.27万公顷，沼泽湿地3.71万公顷，人工湿地10.69万公顷。

滦河及冀东沿海：包括张家口市沽源县的东部，承德市围场满族蒙古族自治县的西部和南部、丰宁满族自治县的北部和东部、隆化县、承德县、滦平县的东部、承德市各区、平泉县的南部、宽城满族自治县，唐山市开平区、古冶区、路南区、丰南区东部、迁西县的北部、迁安市、滦县、滦南县、乐亭县、曹妃甸区，秦皇岛市山海关区、北戴河区、海港区、青龙满族自治县、卢龙县、昌黎县、抚宁县，湿地总面积 18.49 万公顷，占全省湿地总面积的 19.62%。其中河流湿地 5.75 万公顷，湖泊湿地 0.10 万公顷，沼泽湿地 4.23 万公顷，人工湿地 8.41 万公顷。

2.1.2.4 滨海湿地区二级流域

滨海湿地二级流域：其一级流域中仅有此 1 个二级流域，详细内容见与其对应的一级流域——滨海湿地区。

2.1.3 三级流域湿地分布

三级流域包括内蒙古高原东部、西拉木伦河及老哈河、沿渤海西部诸河、北三河山区、北四河下游平原、永定河册田水库至三家店区间、大清河山区、大清河淀西平原、大清河淀东平原、子牙河山区、黑龙港及运东平原、子牙河平原、漳卫河山区、漳卫河平原、滦河及冀东沿海诸河、滦河山区、滨海湿地 17 个区。其中湿地面积最大的区是滨海湿地，面积最小的区是沿渤海西部诸河。

2.1.3.1 西北诸河区三级流域

内蒙古高原东部：其一级流域中仅有 1 个二级流域和 1 个三级流域，详细内容见与其对应的一级流域——西北诸河区。

2.1.3.2 辽河区三级流域

西拉木伦河及老哈河：其二级流域仅有此 1 个三级流域，详细内容见与其对应的二级流域——西辽河区。

沿渤海西部诸河：其二级流域仅有此 1 个三级流域，详细内容见与其对应的二级流域——东北沿黄渤海诸河区。

2.1.3.3 海河区三级流域

北三河山区：湿地总面积 1.36 万公顷，占全省湿地总面积的 1.44%。其中河流湿地 1.17 万公顷，湖泊湿地 44.22 公顷，沼泽湿地 0.01 万公顷，人工湿地 0.16 万公顷。

北四河下游平原：湿地总面积 1.06 万公顷，占全省湿地总面积的 1.13%。其中河流湿地 0.63 万公顷，人工湿地 0.43 万公顷。

永定河册田水库至三家店区间：湿地总面积 4.15 万公顷，占全省湿地总面积的 4.41%。其中河流湿地 2.75 万公顷，湖泊湿地 0.04 万公顷，沼泽湿地 0.67 万公顷，人工湿地 0.70 万公顷。

大清河山区：湿地总面积 3.33 万公顷，占全省湿地总面积的 3.54%。其中河流湿地 2.35 万公顷，沼泽湿地 0.17 万公顷，人工湿地 0.81 万公顷。

大清河淀西平原：湿地总面积 3.61 万公顷，占全省湿地总面积的 3.83%。其中河流湿地 1.72 万公顷，沼泽湿地 1.72 万公顷，人工湿地 0.18 万公顷。

大清河淀东平原：湿地总面积 1.87 万公顷，占全省湿地总面积的 1.99%。其中河流湿地 0.61 万公顷，沼泽湿地 0.36 万公顷，人工湿地 0.91 万公顷。

子牙河山区：湿地总面积 2.82 万公顷，占全省湿地总面积的 3.00%。其中河流湿地 1.66 万公顷，沼泽湿地 0. 22 万公顷，人工湿地 0. 95 万公顷。

黑龙港及运东平原：湿地总面积 9. 41 万公顷，占全省湿地总面积的 9. 99%。其中河流湿地 0. 98 万公顷，湖泊湿地 0. 27 万公顷，沼泽湿地 1. 07 万公顷，人工湿地 7. 09 万公顷。

子牙河平原：湿地总面积 2. 79 万公顷，占全省湿地总面积的 2. 96%。其中河流湿地 2. 17 万公顷，湖泊湿地 15. 58 公顷，沼泽湿地 0. 11 万公顷，人工湿地 0. 51 万公顷。

漳卫河山区：湿地总面积 0. 40 万公顷，占全省湿地总面积的 0. 42%。其中河流湿地 0. 19 万公顷，沼泽湿地 0. 07 万公顷，人工湿地 0. 14 万公顷。

漳卫河平原：湿地总面积 0. 35 万公顷，占全省湿地总面积的 0. 38%。其中河流湿地 0. 24 万公顷，人工湿地 0. 11 万公顷。

滦河平原及冀东沿海诸河：湿地总面积 10. 12 万公顷，占全省湿地总面积的 10. 75%。其中河流湿地 1. 69 万公顷，沼泽湿地 1. 08 万公顷，人工湿地 7. 35 万公顷。

滦河山区：湿地总面积 8. 36 万公顷，占全省湿地总面积的 8. 88%。其中河流湿地 4. 06 万公顷，湖泊湿地 0. 10 万公顷，沼泽湿地 3. 14 万公顷，人工湿地 1. 06 万公顷。

2. 1. 3. 4　滨海湿地区三级流域

滨海湿地区三级流域：由于其一级流域中仅有 1 个二级流域和 1 个三级流域，其详细内容见与其对应的一级流域——滨海湿地区。

2. 2　各流域近海与海岸湿地分布

近海与海岸湿地分布在河北东部沿海，全部属于滨海湿地区流域。

2. 3　各流域河流湿地分布

全省所有一级流域、二级流域和三级流域均有河流湿地。西北诸河区面积 0. 40 万公顷，占河流湿地总面积的 1. 88%；辽河区面积 0. 52 万公顷，占河流湿地总面积的 2. 44%；海河区面积 20. 23 万公顷，占河流湿地总面积的 95. 22%；滨海湿地区面积 0. 10 万公顷，占河流湿地总面积的 0. 46%。海河区是河流湿地主要分布区，主要河流有闪电河、小滦河、滦河、瀑河、青龙河、陡河、潮河、白河、壶流河、洋河、桑干河、拒马河、易水河、唐河、潴龙河、沙河、木刀沟、滹沱河、滏阳河、洨河、清漳河、浊漳河、漳河、卫河等。

一、二、三级流域河流湿地各湿地型及面积详见表 2-8。

2. 4　各流域湖泊湿地分布

全省湖泊湿地仅分布在西北诸河区和海河区，辽河区和滨海湿地区均没有分布。西北诸河区湖泊湿地总面积 2. 25 万公顷，占全省湖泊湿地总面积的 84. 74%；海河区湖泊湿地总面积 0. 41 万公顷，占全省湖泊湿地总面积的 15. 26%（表 2-9）。

表 2-8 河北省各流域河流湿地面积统计表(公顷)

<table>
<tr><th>一级流域</th><th>二级流域</th><th>三级流域</th><th>合 计</th><th>永久性河流</th><th>季节性或间歇性河流</th></tr>
<tr><td colspan="3">合 计</td><td>212483.62</td><td>107623.37</td><td>104860.25</td></tr>
<tr><td rowspan="3">西北诸河区</td><td colspan="2">计</td><td>4000.13</td><td>455.10</td><td>3545.03</td></tr>
<tr><td rowspan="2">内蒙古高原内陆河</td><td>小 计</td><td>4000.13</td><td>455.10</td><td>3545.03</td></tr>
<tr><td>内蒙古高原东部</td><td>4000.13</td><td>455.10</td><td>3545.03</td></tr>
<tr><td rowspan="5">辽河区</td><td colspan="2">计</td><td>5192.88</td><td>3302.38</td><td>1890.50</td></tr>
<tr><td rowspan="2">西辽河</td><td>小 计</td><td>4830.64</td><td>3302.38</td><td>1528.26</td></tr>
<tr><td>西拉木伦河及老哈河</td><td>4830.64</td><td>3302.38</td><td>1528.26</td></tr>
<tr><td rowspan="2">东北沿黄渤海诸河</td><td>小 计</td><td>362.24</td><td></td><td>362.24</td></tr>
<tr><td>沿渤海西部诸河</td><td>362.24</td><td></td><td>362.24</td></tr>
<tr><td rowspan="18">海河区</td><td colspan="2">计</td><td>202316.42</td><td>103160.45</td><td>99155.97</td></tr>
<tr><td rowspan="4">海河北系</td><td>小 计</td><td>45607.43</td><td>24025.46</td><td>21581.97</td></tr>
<tr><td>北三河山区</td><td>11744.18</td><td>5855.16</td><td>5889.02</td></tr>
<tr><td>永定河册田水库至三家店之间</td><td>27535.10</td><td>15099.84</td><td>12435.26</td></tr>
<tr><td>北四河下游平原</td><td>6328.15</td><td>3070.46</td><td>3257.69</td></tr>
<tr><td rowspan="9">海河南系</td><td>小 计</td><td>99165.01</td><td>38319.48</td><td>60845.53</td></tr>
<tr><td>大清河山区</td><td>23522.39</td><td>8232.09</td><td>15290.30</td></tr>
<tr><td>大清河淀西平原</td><td>17173.95</td><td>5085.88</td><td>12088.07</td></tr>
<tr><td>大清河淀东平原</td><td>6067.65</td><td>3832.45</td><td>2235.20</td></tr>
<tr><td>子牙河山区</td><td>16585.95</td><td>9105.87</td><td>7480.08</td></tr>
<tr><td>黑龙港及运东平原</td><td>9822.38</td><td>918.54</td><td>8903.84</td></tr>
<tr><td>子牙河平原</td><td>21674.97</td><td>6984.1</td><td>14690.87</td></tr>
<tr><td>漳卫河山区</td><td>1878.34</td><td>1721.17</td><td>157.17</td></tr>
<tr><td>漳卫河平原</td><td>2439.38</td><td>2439.38</td><td></td></tr>
<tr><td rowspan="3">滦河及冀东沿海</td><td>小 计</td><td>57543.98</td><td>40815.51</td><td>16728.47</td></tr>
<tr><td>滦河平原及冀东沿海诸河</td><td>16896.45</td><td>14811.83</td><td>2084.62</td></tr>
<tr><td>滦河山区</td><td>40647.53</td><td>26003.68</td><td>14643.85</td></tr>
<tr><td rowspan="3">滨海湿地区</td><td colspan="2">计</td><td>974.19</td><td>705.44</td><td>268.75</td></tr>
<tr><td rowspan="2">滨海湿地</td><td>小 计</td><td>974.19</td><td>705.44</td><td>268.75</td></tr>
<tr><td>滨海湿地</td><td>974.19</td><td>705.44</td><td>268.75</td></tr>
</table>

表 2-9　河北省各流域湖泊湿地面积统计表(公顷)

一级流域	二级流域	三级流域	合　计	永久性淡水湖	永久性咸水湖	季节性咸水湖
合　计			26611.37	3863.52	21348.93	1398.92
西北诸河区	计		22549.46	441.18	20731.67	1376.61
	内蒙古高原内陆河	小　计	22549.46	441.18	20731.67	1376.61
		内蒙古高原东部	22549.46	441.18	20731.67	1376.61
辽河区	计					
	西辽河	小　计				
		西拉木伦河及老哈河				
	东北沿黄渤海诸河	小　计				
		沿渤海西部诸河				
海河区	计		4061.91	3422.34	617.26	22.31
	海河北系	小　计	398.39	398.39		
		北三河山区	44.22	44.22		
		永定河册田水库至三家店之间	354.17	354.17		
		北四河下游平原				
	海河南系	小　计	2669.14	2669.14		
		大清河山区				
		大清河淀西平原				
		大清河淀东平原				
		子牙河山区				
		黑龙港及运东平原	2653.56	2653.56		
		子牙河平原	15.58	15.58		
		漳卫河山区				
		漳卫河平原				
	滦河及冀东沿海	小　计	994.38	354.81	617.26	22.31
		滦河平原及冀东沿海诸河				
		滦河山区	994.38	354.81	617.26	22.31
滨海湿地区	计					
	滨海湿地	小　计				
		滨海湿地				

2.5 各流域沼泽湿地分布

西北诸河区沼泽湿地面积 13.61 万公顷，占沼泽湿地总面积的 60.87%；辽河区面积 0.13 万公顷，占沼泽湿地总面积的 0.58%；海河区面积 8.62 万公顷，占沼泽湿地总面积的 38.55%；滨海湿地区没有沼泽湿地分布。各流域的沼泽湿地型及面积见表 2-10。

表 2-10 河北省各流域沼泽湿地面积统计表(公顷)

一级流域	二级流域	三级流域	沼泽湿地	草本沼泽	森林沼泽	内陆盐沼	季节性咸水沼泽	沼泽化草甸
合 计			223630.05	59503.98	158.21	1110.31	147857.47	15000.08
西北诸河区	计		136131.14	4691.76		1110.31	128745.22	1583.85
	内蒙古高原内陆河	小 计	136131.14	4691.76		1110.31	128745.22	1583.85
		内蒙古高原东部	136131.14	4691.76		1110.31	128745.22	1583.85
辽河区	计		1295.38					1295.38
	西辽河	小 计	1295.38					1295.38
		西拉木伦河及老哈河	1295.38					1295.38
	东北沿黄渤海诸河	小 计						
		沿渤海西部诸河						
海河区	计		86203.53	54812.22	158.21		19112.25	12120.85
	海河北系	小 计	6804.08	6804.08				
		北三河山区	142.17	142.17				
		永定河册田水库至三家店之间	6661.91	6661.91				
		北四河下游平原						
	海河南系	小 计	37142.58	37142.58				
		大清河山区	1727.23	1727.23				
		大清河淀西平原	17150.75	17150.75				
		大清河淀东平原	3609.40	3609.40				
		子牙河山区	2153.29	2153.29				
		黑龙港及运东平原	10734.01	10734.01				
		子牙河平原	1092.55	1092.55				
		漳卫河山区	675.35	675.35				
		漳卫河平原						
海河区	滦河及冀东沿海	小 计	42256.87	10865.56	158.21		19112.25	12120.85
		滦河平原及冀东沿海诸河	10827.52	10720.55				106.97
		滦河山区	31429.35	145.01	158.21		19112.25	12013.88

（续）

一级流域	二级流域	三级流域	沼泽湿地	草本沼泽	森林沼泽	内陆盐沼	季节性咸水沼泽	沼泽化草甸
滨海湿地区	计							
	滨海湿地	小　计						
		滨海湿地						

2.6　各流域人工湿地分布

一级流域西北诸河区人工湿地总面积0.09万公顷，占人工湿地总面积的0.37%；辽河区人工湿地总面积25.50公顷，占人工湿地总面积的0.01%；海河区人工湿地总面积20.38万公顷，占人工湿地总面积的82.43%；滨海湿地区人工湿地总面积4.25万公顷，占人工湿地总面积的17.19%。各流域的人工湿地型及面积见表2-11。

表2-11　河北省各流域人工湿地面积统计表(公顷)

一级流域	二级流域	三级流域	人工湿地	库塘	运河/输水河	水产养殖场	盐田
合　计			247307.81	49907.72	36830.58	76509.51	84060.00
西北诸河区	计		922.51	876.68	45.83		
	内蒙古高原内陆河	小　计	922.51	876.68	45.83		
		内蒙古高原东部	922.51	876.68	45.83		
辽河区	计		25.50	25.50			
	西辽河	小　计	25.50	25.50			
		西拉木伦河及老哈河	25.50	25.50			
	东北沿黄渤海诸河	小　计					
		沿渤海西部诸河					
海河区	计		203847.62	49005.54	36697.09	42789.83	75355.16
	海河北系	小　计	12917.78	8988.88	2718.97	751.30	458.63
		北三河山区	1648.45	1648.45			
		永定河册田水库至三家店之间	6950.12	6583.27	366.85		
		北四河下游平原	4319.21	757.16	2352.12	751.30	458.63

（续）

一级流域	二级流域	三级流域	人工湿地	库塘	运河/输水河	水产养殖场	盐田
海河区	海河南系	小　计	106869.88	22536.94	31148.92	445.77	52738.25
		大清河山区	8059.26	7891.67	167.59		
		大清河淀西平原	1751.95	47.94	1704.01		
		大清河淀东平原	9060.54	528.99	8531.55		
		子牙河山区	9474.55	9383.10	91.45		
		黑龙港及运东平原	70897.99	3404.50	14309.47	445.77	52738.25
		子牙河平原	5119.90	62.13	5057.77		
		漳卫河山区	1399.45	1218.61	180.84		
		漳卫河平原	1106.24		1106.24		
	滦河及冀东沿海	小　计	84059.96	17479.72	2829.20	41592.76	22158.28
		滦河平原及冀东沿海诸河	73498.14	6917.90	2829.20	41592.76	22158.28
		滦河山区	10561.82	10561.82			
滨海湿地区	计		42512.18		87.66	33719.68	8704.84
	滨海湿地	小　计	42512.18		87.66	33719.68	8704.84
		滨海湿地	42512.18		87.66	33719.68	8704.84

3　各行政区湿地类型与面积分布

河北省湿地总面积94.19万公顷，湿地率为5.02%。其中面积排在前3位的设区市分别为唐山、张家口和沧州市，湿地面积均超过10万公顷。湿地率较高的设区市分别为唐山和沧州市，如图2-19和表2-12。

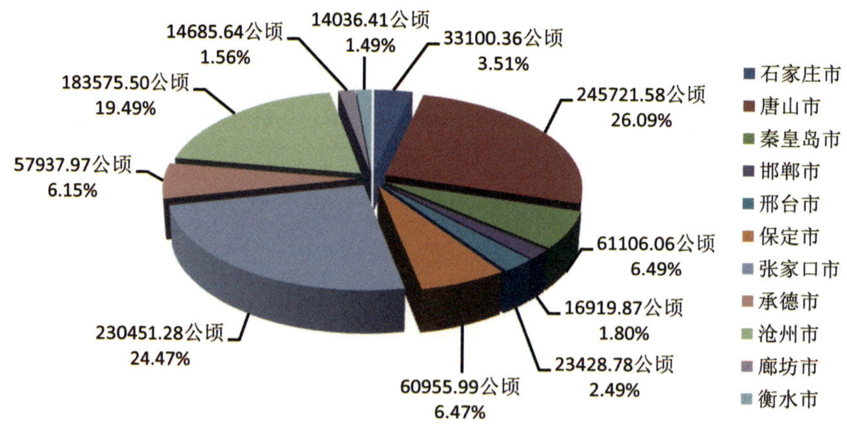

图2-19　河北省各行政区湿地面积结构图

表 2-12 各行政区湿地面积、湿地率统计表

湿地类型/行政区	总面积（公顷）	近海与海岸湿地（公顷）	河流湿地（公顷）	湖泊湿地（公顷）	沼泽湿地（公顷）	人工湿地（公顷）	湿地率（%）
合　计	941919.44	231886.59	212483.62	26611.37	223630.05	247307.81	5.02
石家庄市	33100.36		20758.54		2438.78	9903.04	2.35
唐山市	245721.58	111003.79	21205.64		10827.52	102684.63	18.26
秦皇岛市	61106.06	38441.08	11719.38			10945.60	7.86
邯郸市	16919.87		9515.52		1484.15	5920.20	1.41
邢台市	23428.78		17418.88		94.62	5915.28	1.89
保定市	60955.99		34265.38		18574.80	8115.81	2.74
张家口市	230451.28		39445.85	23800.67	158392.78	8811.98	6.26
承德市	57937.97		37055.45	141.56	17267.17	3473.79	1.47
沧州市	183575.50	82441.72	8248.76		11240.93	81644.09	13.06
廊坊市	14685.64		7619.92		89.05	6976.67	2.29
衡水市	14036.41		5230.30	2669.14	3220.25	2916.72	1.59

石家庄市：湿地总面积3.31万公顷，湿地率2.35%，占全省湿地总面积的3.51%，其中河流湿地面积2.08万公顷，沼泽湿地面积0.24万公顷，人工湿地面积0.99万公顷。

唐山市：湿地总面积24.57万公顷，湿地率18.26%，占全省湿地总面积的26.09%，其中近海与海岸湿地11.10万公顷，河流湿地2.12万公顷，沼泽湿地面积1.08万公顷，人工湿地面积10.27万公顷。

秦皇岛市：湿地总面积6.11万公顷，湿地率7.86%，占全省湿地总面积的6.49%，其中近海与海岸湿地3.84万公顷，河流湿地面积1.17万公顷，人工湿地面积1.09万公顷。

邯郸市：湿地总面积1.69万公顷，湿地率1.41%，占全省湿地总面积的1.80%，其中河流湿地面积0.95万公顷，沼泽湿地面积0.15万公顷，人工湿地面积0.59万公顷。

邢台市：湿地总面积2.34万公顷，湿地率1.89%，占全省湿地总面积的2.49%，其中河流湿地面积1.74万公顷，沼泽湿地面积94.62公顷，人工湿地面积0.59万公顷。

保定市：湿地总面积6.10万公顷，湿地率2.74%，占全省湿地总面积的6.47%，其中河流湿地面积3.43万公顷，沼泽湿地面积1.86万公顷，人工湿地面积0.81万公顷。

张家口市：湿地总面积23.05万公顷，湿地率6.26%，占全省湿地总面积的24.46%，其中河流湿地面积3.94万公顷，湖泊湿地2.38万公顷，沼泽湿地面积15.84万公顷，人工湿地面积0.88万公顷。

承德市：湿地总面积5.79万公顷，湿地率1.47%，占全省湿地总面积的6.15%，其中河流湿地面积3.71万公顷，湖泊湿地0.01万公顷，沼泽湿地面积1.73万公顷，人工湿地面积0.35万公顷。

沧州市：湿地总面积18.36万公顷，湿地率13.06%，占全省湿地总面积的19.49%，其中近海与海岸湿地8.24万公顷，河流湿地0.82万公顷，沼泽湿地面积1.12万公顷，人工湿地面积8.16万公顷。

廊坊市：湿地总面积1.47万公顷，湿地率2.29%，占全省湿地总面积的1.56%，其中河流湿地面积0.76万公顷，沼泽湿地面积89.05公顷，人工湿地面积0.70万公顷。

衡水市：湿地总面积1.40万公顷，湿地率1.59%，占全省湿地总面积的1.49%，其中河流湿地面积0.52万公顷，湖泊湿地0.27万公顷，沼泽湿地面积0.32万公顷，人工湿地面积0.29万公顷。

3.1 各行政区近海与海岸湿地分布

河北省近海与海岸湿地涉及秦皇岛海港区、山海关区、北戴河区、抚宁县、昌黎县，唐山丰南区、滦南县、乐亭县、曹妃甸区，沧州黄骅市、海兴县。面积最大的是唐山市，为11.10万公顷，占近海与海岸湿地总面积的47.87%；其次是沧州市，面积8.24万公顷，占近海与海岸湿地总面积的35.55%；面积最小的是秦皇岛市，为3.84万公顷，占近海与海岸湿地总面积的16.58%（表2-13）。

表2-13 河北省各行政区近海与海岸湿地面积统计表（公顷）

湿地类型 湿地区	合 计	浅海水域	沙石海滩	淤泥质海滩	河口水域	三角洲
合 计	231886.59	210086.17	10870.81	8914.32	1142.91	872.38
唐山市	111003.79	98391.57	2757.71	8914.32	940.19	
秦皇岛市	38441.08	29252.88	8113.10		202.72	872.38
沧州市	82441.72	82441.72				

3.2 各行政区河流湿地分布

全省11个设区市均有河流湿地，面积最大的是张家口市，面积3.94万公顷，占河流湿地总面积的18.56%；其次为承德市，面积3.71万公顷，占河流湿地总面积的17.44%；第三为保定市，面积3.43万公顷，占河流湿地总面积的16.13%（表2-14）。

表2-14 河北省各行政区河流湿地面积统计表（公顷）

湿地类型 行政区	合 计	永久性河流	季节性或间歇性河流
合 计	212483.62	107623.37	104860.25
石家庄市	20758.54	7434.93	13323.61
唐山市	21205.64	16851.10	4354.54
秦皇岛市	11719.38	9603.25	2116.13

（续）

湿地类型 行政区	合　计	永久性河流	季节性或间歇性河流
邯郸市	9515.52	6671.65	2843.87
邢台市	17418.88	5889.52	11529.36
保定市	34265.38	12995.47	21269.91
张家口市	39445.85	19566.15	19879.70
承德市	37055.45	20843.37	16212.08
沧州市	8248.76	822.34	7426.42
廊坊市	7619.92	5604.64	2015.28
衡水市	5230.30	1340.95	3889.35

3.3　各行政区湖泊湿地分布

全省仅张家口市、承德市和衡水市有湖泊湿地分布，其中张家口市面积 2.38 万公顷，占湖泊湿地总面积的 89.44%；衡水市面积 0.27 万公顷，占湖泊湿地总面积的 10.03%；承德市面积 0.01 万公顷，占湖泊湿地总面积的 0.53%，见表 2-15。

表 2-15　河北省各行政区湖泊湿地面积统计表（公顷）

湿地类型 设区市	合　计	永久性淡水湖	永久性咸水湖	季节性咸水湖
合　计	26611.37	3863.52	21348.93	1398.92
张家口市	23800.67	1052.82	21348.93	1398.92
承德市	141.56	141.56		
衡水市	2669.14	2669.14		

3.4　各行政区沼泽湿地分布

除秦皇岛外，其他 10 个设区市均有沼泽湿地分布。面积最大的是张家口市，为 15.84 万公顷，占沼泽湿地总面积的 70.83%；其次是保定市，面积为 1.86 万公顷，占沼泽湿地总面积的 8.31%；第三是承德市，沼泽湿地面积 1.73 万公顷，占沼泽湿地总面积的 7.72%（表 2-16）。

表 2-16　河北省各行政区沼泽湿地面积统计表（公顷）

湿地类型 行政区	合　计	草本沼泽	森林沼泽	内陆盐沼	季节性 咸水沼泽	沼泽化草甸
合　计	223630.05	59503.98	158.21	1110.31	147857.47	15000.08
石家庄市	2438.78	2438.78				

（续）

行政区＼湿地类型	合　计	草本沼泽	森林沼泽	内陆盐沼	季节性咸水沼泽	沼泽化草甸
唐山市	10827.52	10720.55				106.97
邯郸市	1484.15	1484.15				
邢台市	94.62	94.62				
保定市	18574.80	18574.80				
张家口市	158392.78	11495.84		1110.31	144202.78	1583.85
承德市	17267.17	145.01	158.21		3654.69	13309.26
沧州市	11240.93	11240.93				
廊坊市	89.05	89.05				
衡水市	3220.25	3220.25				

3.5 各行政区人工湿地分布

全省11个设区市中，人工湿地面积最大的是唐山市，面积10.27万公顷，占人工湿地总面积的41.52%；其次是沧州市，面积8.16万公顷，占人工湿地总面积的33.01%；第三是秦皇岛市，面积1.09万公顷，占人工湿地总面积的4.43%(表2-17)。

表2-17 河北省各行政区人工湿地面积统计表(公顷)

行政区＼湿地类型	合　计	库塘	运河/输水河	水产养殖场	盐田
合　计	247307.81	49907.72	36830.58	76509.51	84060.00
石家庄市	9903.04	7918.20	1984.84		
唐山市	102684.63	9788.79	2966.49	63029.36	26899.99
秦皇岛市	10945.60	5392.59	548.73	5004.28	
邯郸市	5920.20	2656.66	3263.54		
邢台市	5915.28	1886.30	4028.98		
保定市	8115.81	6506.04	1609.77		
张家口市	8811.98	8399.30	412.68		
承德市	3473.79	3473.79			
沧州市	81644.09	3122.12	12886.09	8475.87	57160.01
廊坊市	6976.67	763.93	6212.74		
衡水市	2916.72		2916.72		

第三章 湿地生物资源

第一节 湿地植物和植被

1 湿地植物

1.1 湿地植物种类组成

河北省湿地植物物种统计，苔藓植物、蕨类植物、裸子植物和被子植物均按《河北植物志》采用的分类系统排列。

据《河北植物志》记载，河北省有湿地高等植物819种，隶属于4门105科394属，详见附录1。其中，苔藓类植物13种，隶属7科10属；蕨类植物13种，隶属9科9属；裸子植物5种，隶属3科5属；被子植物788种，隶属86科370属，其中单子叶植物210种，隶属20科92属，双子叶植物578种，隶属66科278属，见表3-1。

表3-1　河北省湿地高等植物按科、属、种统计表

类　别		科数	属数	种数(含种下分类单位)
苔藓植物		7	10	13
蕨类植物		9	9	13
裸子植物		3	5	5
被子植物	双子叶植物	66	278	578
	单子叶植物	20	92	210
合　计		105	394	819

本次调查发现湿地高等植物560种，隶属于4门88科312属，见表3-2。调查发现典型湿地植物522种，隶属于3门80科280属。其中，苔藓类植物1科1属1种；蕨类植物3科3属7种；被子植物76科276属514种，见附录1。

表 3-2 河北省湿地高等植物按科、属、种统计表(调查发现)

类 别	科	属	种
苔藓植物	1	1	1
蕨类植物	3	3	7
裸子植物	2	3	3
被子植物	82	305	549
合 计	88	312	560

1.2 常见湿地植物

按照植物生活型来划分，在 819 种高等植物中，乔木、灌木仅有 65 种，占总种数的 7.9%，主要集中在松科、杨柳科、桦木科、榆科、桑科、蔷薇科、豆科、蒺藜科等科中。草本植物占绝对优势，共有 754 种，占总种数的 92.1%。

在沿海湿地，由于土壤含盐量大(一般在 1% ~3% 之间)，植物种类较少，地理成分单纯，约有 60 科 160 属 300 余种。其中绝大部分为草本植物，乔木和灌木极为稀少。以菊科、禾本科、藜科等植物为主。代表植物有盐地碱蓬、碱蓬、二色补血草、白刺、芦苇、獐茅、碱茅、薹草、碱菀、香蒲、扁秆藨草、海边香豌豆等，能够分布在海岸带最前缘的抗盐树种不多，常见的有刺槐、臭椿、柽柳等。

河流湿地植物以草本为主，植被类型多，多为世界广布种。在平原浅平低洼地，由于季节性积水，形成沼泽化草甸，土壤为湿潮土，生长有芦苇、稗、头穗莎草、野西瓜苗、白茅；在盐碱洼地，形成了典型的盐生草甸，土壤为盐化潮土和盐土，生长的植物以獐茅、碱茅、薹草、草木犀、萹蓄、长叶碱毛茛、莲座蓟、蒙古鸦葱、芨芨草为主；在河流两岸的低河漫滩及古河道上，土壤为风沙土，生长有猪毛蒿、沙蓬、藜、茵陈蒿、三芒草、刺叶柄棘豆、糙隐子草、茅根、鸡眼草、稗草、蓼等植物；河堤岸边生长有杨、柳、荆三棱、湖瓜草、獐茅、水芹、碎米荠、水苦荬、旋覆花等植物。

内陆季节性咸水沼泽、盐沼湿地其组成成分主要有芒草、薹草、卵囊薹草、水麦冬、水葫芦苗、落草、野大麦、贝加尔针茅、小灯心草、拂子茅、北葱、假苇拂子茅、披碱草、羊草、赖草、无芒雀麦、蒙古蒿、紫菀、碱茅等。在张家口坝上闪电河以西地势低洼的盐生湿草甸上，植物组成成分有芨芨草、莲座蓟、荸荠、水茫草、马蔺、旋覆花、滨藜、碱蓬、长叶碱毛茛、草地风毛菊、海乳草、碱茅、鹅绒委陵菜、地榆等。沼泽化草甸上，分布有以卵穗薹草、水麦冬、水葫芦苗等为代表的湿生植物。

淡水湖泊湿地分布的水生植物按照生活型可划分为沉水植物、漂浮植物、浮叶植物、挺水植物和湿生植物。湿地植物分布受水分因素的影响较大，尤其是水生湿地植物的种类，既具有地带性和地域性的特点，又具有隐域性特点。经外业调查，常见植物种包括：

(1)沉水植物：狸藻、金鱼藻、狐尾藻、菹草、马来眼子菜、线叶眼子菜、小茨藻、大茨藻、黑藻等。

(2)漂浮植物：浮萍、紫萍、槐叶苹等。

(3)浮叶植物：荇菜、莲、睡莲、二角菱、茶菱、浮叶眼子菜、两栖蓼、芡实等。

(4)挺水植物：芦苇、狭叶香蒲、荻、菰、碎米莎草、水葱、扁秆藨草、千屈菜、菖蒲、泽泻、灯心草、花蔺等。

(5)湿生植物：稗、薹草类、沿沟草、巨序剪股颖、野黍、水麦冬、水甜茅、华扁穗草、东方藨草、菵草、假稻、旋鳞莎草、荸荠类等。

1.3　珍稀濒危湿地植物

根据1984年国务院环境保护委员会公布的我国第一批珍稀濒危植物以及1987年补充修订出版的《中国珍稀濒危保护植物名录(第一批)》及1999年国务院公布的《国家重点保护野生植物名录(第一批)》、2010年颁布的《河北省重点保护野生植物(第一批)》，经调查统计，河北省湿地植物中有国家Ⅱ级保护植物3种，即莲、野大豆、珊瑚菜；省级重点保护的有39种(表3-3)。

表3-3　河北省重点保护野生湿地植物统计表

植物名	保护等级	植物名	保护等级
莲	国家Ⅱ级	柳叶绣线菊	省级
野大豆	国家Ⅱ级	四角菱	省级
珊瑚菜	国家Ⅱ级	金色补血草	省级
狭叶瓶儿小草	省级	二色补血草	省级
蕨	省级	中华补血草	省级
河北蛾眉蕨	省级	荇菜	省级
河北铁角蕨	省级	秦艽	省级
白杆	省级	合掌消	省级
油松	省级	华北白前	省级
草麻黄	省级	黄芩	省级
梧桐杨	省级	脐草	省级
睡莲	省级	茶菱	省级
芡实	省级	狸藻	省级
萍蓬草	省级	羊乳	省级
银莲花	省级	宽叶香蒲	省级
升麻	省级	小黑三棱	省级
金莲花	省级	黑三棱	省级
野罂粟	省级	浮叶眼子菜	省级
雾灵香花芥	省级	雨久花	省级
红景天	省级	北重楼	省级
玫瑰	省级	绶草	省级

1.4　湿地种子植物区系分布

根据吴征镒的《中国种子植物属的分布区类型》的划分，将河北湿地的375属种子植物(包括裸子植物和被子植物)归属为 14 个分布区类型(表 3-4)。

表 3-4 河北湿地种子植物按分布区类型统计表

分布区类型	属数	占总属数比例(%)	种数	占总种数比例(%)
1. 世界分布	73	19.5	213	31.9
2. 泛热带分布	47	12.5	70	8.8
3. 热带美洲和热带亚洲间断分布	4	1.1	4	0.5
4. 旧世界热带分布	6	1.6	8	1.0
5. 热带亚洲至热带大洋洲分布	6	1.6	6	0.8
6. 热带亚洲至热带非洲分布	6	1.6	7	0.9
7. 热带亚洲(印度—马来西亚)分布	4	1.1	6	0.8
8. 北温带分布	122	32.5	290	36.6
9. 东亚和北美洲间断分布	15	4.0	20	2.5
10. 旧世界温带分布	44	11.7	68	8.6
11. 温带亚洲分布	15	4.0	19	2.4
12. 地中海、西亚至中亚分布	11	2.9	15	1.9
13. 中亚分布	9	2.4	10	1.3
14. 东亚分布	13	3.5	17	2.1
总 计	375	100	793	100

1.4.1 世界分布类型

世界分布区类型包括几乎遍布世界各大洲而没有特殊分布中心的属，或虽有一个或数个分布中心而包含世界分布种的属。河北湿地种子植物中有世界分布型 73 属 253 种，分别占总属数的 19.5% 和总种数的 31.9%。种数较多的蓼属 25 种、薹草属 24 种、眼子菜属 10 种；其次是酸膜属 9 种；莎草属 8 种；藜属、藨草属各有 7 种；水苏属、黄芩属、香蒲属、早熟禾属、荸荠属、灯心草属各 6 种；苋属、毛茛属、老鹳草属各 5 种；猪毛菜属、碱蓬属、繁缕属、焯菜属、槐属、珍珠菜属、车前属、飘拂草属各 4 种；滨藜属、金鱼藻属、水苋菜属、补血草属等 8 属各有 3 种；银莲花属、金丝桃属、狐尾藻属、荇菜属、鼠麴草属、大叶藻属、茨藻属、水麦冬属、芦苇属、水莎草属、浮萍属等 15 属各有 2 种；拟漆姑属、睡莲属、升麻属，水茫草属等 26 个属各有 1 种。

由于世界分布型在确定植物区系关系、地理分布特点时意义不大，所以在各分布类型统计分析时通常扣除不计。

1.4.2 热带亚热带分布型

热带亚热带分布包括泛热带分布、热带美洲和热带亚洲间断分布、旧世界热带分布、热带亚洲至热带大洋洲分布、热带亚洲至热带非洲分布、热带亚洲(印度—马来西亚)分布 6 个分布类型。

河北湿地种子植物中热带亚热带分布型共有73属101种，分别占本地区总属数的19.5%，总种数的12.7%。这一类型中泛热带分布型(类型2)最多，共有47属70种，分别占本地区总属数的12.5%和总种数的8.8%。其中鹅绒藤属7种；大戟属、打碗花属各有4种；牵牛花属、狗尾草属各3种；凤仙花属、棒头草属、狼尾花属等7属各含有2种；冷水花属、莲子草属、母草属、牛鞭草属、水蜈蚣属、蟋蟀草属等35属各含1种。说明河北被子植物区系的形成发展过程与热带有着密切的亲缘关系，虽然此分布区类型所含属数较多，但种类较少，单属种的比例较高，种系发育不良，说明该区域可能是某些属由热带中心向北温带延伸的边缘。

除此之外，旧世界热带分布型、热带亚洲至大洋洲分布型、热带亚洲至非洲分布型在河北湿地植物中各有6属，分别有8种、6种、7种；热带亚洲(印度—马来西亚)分布型有4属6种；热带美洲和热带亚洲间断分布型只有4属4种。这些分布型在河北湿地种子植物中所占成分很少，对河北被子植物区系成分的意义不大。

1.4.3 温带分布型

温带分布型包括北温带分布、东亚和北美洲间断分布、旧世界温带分布、温带亚洲分布、地中海、西亚至中亚分布、中亚分布、东亚分布7个分布类型。在河北湿地种子植物中分布有229属439种，分别占总属数的61.1%，总种数的55.4%，充分表明河北湿地种子植物中属的地理成分是以温带分布类型为主的特点。

这一类型中北温带分布型最多，共有122属290种，占总属数的32.5%，总种数的36.4%。这一类型中柳属含有21种；蒿属含有20种；委陵菜属有17种；风毛菊属、柳叶菜属各9种；棘豆属8种；婆婆纳属7种；葱属、马先蒿属各6种；披碱草属、拂子茅属、野豌豆属各5种；虫实属、唐松草属、紫菀属、蓟属、蒲公英属、碱茅属各4种；泽泻属、露珠草属、稗属、画眉草属等11属各含有3种；火绒草属、黑三棱属、香豌豆属、水毛茛属、羊胡子草属等22属各含有2种；蚊子草属、慈姑属、小米草属、柳穿鱼属、鼻花属、缬草属等71属各含1种。这一类型中典型的水生植物包括泽泻属、慈姑属、黑三棱属、萍蓬草属等；地肤属、盐角草属、大米草属多见于近海与海岸湿地和北部碱性湿地中；羊胡子草、鹿蹄草属、睡菜属、鼻花属多见于承德坝上湿地；风毛菊属、蓟属、水葫芦苗属、碱菀属等多见于张家口内陆盐沼和湿草地。

东亚和北美洲间断分布类型在河北湿地种子植物中有15属20种。其中湿生植物有菖蒲属、菰属和莲属，各有1种，莲属在全省均有分布，常见者多为栽培，仅在白洋淀有野生莲分布；菰属多见于河北北部山区溪流、沼泽湿地。其他胡枝子属有5种，向日葵属有2种，扯根菜属、黄华属、罗布麻属、乱子草属等10属各有1种。

旧世界温带分布型一般是指广泛分布于欧洲、亚洲中—高纬度的温带和寒温带，或最多个别延伸到亚洲—非洲热带山地或至澳大利亚的属。这一类型在河北湿地植物中也有较好发育，共有44属68种，分别占总属数的11.7%，总种数的8.6%。包括旋覆花属5种；橐吾属、菱属各4种；莴苣属、蛇床属、苜蓿属各3种；鳢肠属、糙苏属、鸦葱属等8属各2种；沙棘属、柽柳属、水枝柏属、百里香属、天名精属等30属各有1种。其中水芹属、菱属、花蔺属、扁穗草属等都是典型的湿生植物；柽柳属植物在我国主要分布于华北和西北的干旱半干旱地区的冲积、淤积盐碱化平原和滩地上，具有抗旱、抗盐、抗热，喜沙、喜水的特性，在河北湿地中常见有1种，多见于沿海湿地、盐渍化的湖泊、沼泽和湿地边缘；水柏枝属在河北湿地中常见有1种，多见于张家口地区如赤城、宣化、怀安、尚义、蔚县等盐渍化的河滩之中；沙棘属多分布于河北北部地区河滩湿地。

温带亚洲分布型在河北湿地种子植物中有 15 属 19 种，分别占总属数和总种数的 4.0% 和 2.4%，包括大黄属、轴藜属、盐芥属、锦鸡儿属、狼毒属、防风属、附地菜属、脐草属等。

地中海、西亚至中亚分布型包括雾冰藜属、盐爪爪属、丝石竹属、牻牛儿苗属、白刺属、疗齿草属和獐毛属等 11 属 15 种，分别占总属数和总种数的 2.9% 和 1.9%。盐爪爪属(2 种)、白刺属(2 种)和獐茅属(1 种)均为典型的盐生植物，在我国主要分布于东北、华北和西北地区的干旱和高度盐渍化的地区，在河北省分布在东部沿海湿地和北部内陆盐沼、季节性咸水沼泽区等地。

中亚分布型在河北湿地种子植物中分布有 9 属 10 种，分别占该地区总属数的 2.4%，总种数的 1.3%。包括有大麻属、沙蓬属、蓝堇属、花旗杆属、诸葛菜属、扁蓿豆属、迷果芹属、角蒿属和栉叶蒿属，除花旗杆属有 2 种外，其余属均只有 1 种。

东亚分布型在河北湿地种子植物中分布有 13 属 17 种，分别占总属数和总种数的 3.5% 和 2.1%。包括芡实属、茶菱属、盒子草属、败酱属、泥胡菜属等，鸡眼草属、败酱属、苦苣菜属、狗娃花属各有 2 种，其余属只有 1 种；说明河北湿地种子植物与日本植物区系有一定的亲缘关系。

2 湿地植被

2.1 湿地植被类型及其分布

通过湿地植物群落调查，按照植被型组—植被型—群系的分类系统进行分类统计，河北省重点调查湿地植被共有 6 个植被型组，13 个植被型，373 个群系。

2.1.1 针叶林湿地植被型组

该植被型组在河北湿地中只有 1 个植被型，即寒温性针叶林湿地植被型，3 个群系，即白杆群系、油松群系和华北落叶松群系。这 3 个群系均为栽培群系，群落结构简单，主要分布在北部和西部山区。

2.1.2 阔叶林湿地植被型组

在河北湿地植被中，该植被型组只有 1 个植被型，即落叶阔叶林湿地植被型，分布有 11 个群系，其中白桦群系为天然分布，多分布在海拔 1000 米以上的山区和承德坝上地区；青杨群系、金丝柳群系、垂柳群系、河柳群系、旱柳群系、白榆群系、刺槐群系、槐树群系、金叶槐群系、山楂群系，均为栽培植物群系，主要分布在各地河流两岸、湿地边缘及湿地公园。

2.1.3 灌丛湿地植被型组

河北湿地植被中灌丛湿地植被型组分布有 3 个植被型，即常绿阔叶灌丛湿地植被型、落叶阔叶灌丛湿地植被型和盐生灌丛湿地植被型，有 37 个群系。

常绿阔叶灌丛湿地植被型只有 1 个群系，即偃柏群系，为栽培植物群系，是河流两岸、湿地公园等绿化美化品种。

落叶阔叶灌丛湿地植被型：有 28 个群系，主要包括柳属、胡枝子属、绣线菊属、枸杞属、金露梅属、玫瑰属、柽柳属等植物形成的单优势群系，主要分布在各地河流两岸，平原地区较少；油桦群系、金露梅群系、玫瑰群系主要分布在承德坝上地区；北沙柳群系、谷柳群系、乌柳群系、绢柳群系、细叶蒿柳群系等主要分布在承德地区；沙棘群系、木本猪毛菜群系等主要分布张家口地区；欧李群系、荆条群系主要分布在太行山区；多花胡枝子群系、达乌里胡枝子群系、紫穗槐群系等主要分布在沿海湿地区；杞柳群系分布比较广泛，全省各湿地区几乎均有分布。

盐生灌丛湿地植被型：有 8 个群系，主要有柽柳群系、白刺群系、角碱蓬群系、盐爪爪群系、尖叶盐爪爪群系、盐角草群系、碱蓬群系、盐地碱蓬群系，主要分布在沧州、唐山、秦皇岛等地沿海湿地区、张家口内陆湖泊和盐地沼泽湿地。

2.1.4　草丛湿地植被型组

河北省草丛湿地植被型组中包括 3 个湿地植被型，即莎草型湿地植被型、禾草型湿地植被型和杂类草湿地植被型，共计 297 个群系。

莎草型湿地植被型：是河北湿地植被的主要类型之一，包括有 36 个群系。其中藨草群系、荆三棱群系、牛毛毡群系、头穗莎草群系、扁秆藨草群系、黑三棱群系等分布比较广泛，几乎遍布全省湿地区；白毛羊胡子草群系、灰脉薹草群系、异鳞薹草群系、大穗薹草群系、羽毛荸荠群系、水麦冬群系等典型湿地植被分布在塞罕坝、御道口、张家口坝上等湿地。

禾草型湿地植被型：是河北省湿地植被的主要类型之一，包含有 52 个群系，分布最普遍的是芦苇群系，遍布全省，是典型的湿地植被群系，在湖泊、沼泽、河流、沿海湿地、水库、坑塘等湿地中广泛分布；其次是狗尾草群系、拂子茅群系、营草群系、稗群系、蟋蟀草群系、马唐群系等也比较常见，广泛分布在河岸、河滩地、沙洲、沼泽、湖泊边缘等地；棒头草群系、芨芨草群系、堇色早熟禾群系、巨序剪股颖群系、披碱草群系、赖草群系、垂穗披碱草群系、野大麦群系等多分布在承德、张家口坝上湿地；獐茅群系、野黍群系等多分布在东部沿海区域；假鼠妇草群系仅在塞罕坝七星湖、御道口有发现。

杂类草湿地植被型：此湿地型群系最多，有 209 个群系，也是河北湿地植被的主要群系之一。其中广泛分布的有狭叶香蒲群系、萹蓄群系、白香草木犀群系、黄香草木犀群系、泽泻群系、野大豆群系、蒲公英群系、野慈姑群系、灰绿藜群系、车前群系、水蓼群系、红蓼群系、水葫芦苗群系等；翅碱蓬群系、鹅绒藤群系、砂引草群系、天蓝苜蓿群系等多分布在沿海湿地区；长叶碱毛茛群系、角果藜群系、莲座蓟群系、水毛茛群系、狼毒群系多在张家口内陆湿地分布；草问荆群系、唐松草群系、蒙蒿群系、节节草群系等多分布在承德地区；金莲花群系、鼻花群系、睡菜群系、蚊子草群系、泽芹群系等在塞罕坝、御道口、闪电河等地有发现。

2.1.5　苔藓湿地植被型组

苔藓湿地植被型组是湿地植被的重要组成部分，该湿地植被型组在河北湿地植被中只发现了 1 个植被型、1 个群系，即葫芦藓群系，该群系在河北省各地均有分布。

2.1.6　浅水植物湿地植被型组

浅水植物是湿地植物的典型代表，该植被型组在河北省有 3 个湿地植被型，即漂浮植物型、浮叶植物型和沉水植物型，共计 24 个群系。

漂浮植物型有 5 个群系，包括槐叶苹群系、浮萍群系、紫萍群系、浮叶眼子菜群系和水鳖群系。5 个群系均为广布种，在全省均有分布，尤其是浮萍和紫萍群系，多分布在各地池塘、静水沟渠中；水鳖群系在白洋淀、衡水湖等平原湖淀中均有分布。

浮叶植物型有二角菱群系、莲群系、睡莲群系、萍蓬草群系、荇菜群系 5 个群系，其中二角菱群系、莲群系、睡莲群系、荇菜群系的分布范围较广，在白洋淀、北戴河、永年洼、承德、石家庄、保定、衡水湖、沧州等地的湖泊、坑塘中均有分布；萍蓬草在围场塞罕坝、御道口有发现。

沉水植物型有14个群系，包括狐尾藻群系、小叶眼子菜群系、金鱼藻群系、菹草群系、杉叶藻群系、狸藻群系、角果藻群系、矮大叶藻群系、小茨藻群系、眼子菜群系、马来眼子菜群系、穿叶眼子菜群系、线叶眼子菜群系、黑藻群系。其中狐尾藻、金鱼藻、黑藻、眼子菜、马来眼子菜、菹草、穿叶眼子菜等群系在全省均有分布；小叶眼子菜群系主要分布在东部地区；角果藻分布在沿海地区；矮大叶藻群系仅在海兴发现；小茨藻群系在潮白河、滦河、白洋淀有发现；狸藻分布在抚宁、曹妃甸、北戴河、白洋淀等地。

2.2 湿地植被面积

据调查，河北湿地植被面积22.48万公顷，湿地植被覆盖度23.87%。其中近海与海岸湿地植被面积0.25万公顷，湿地植被覆盖度1.09%；河流湿地植被面积4.44万公顷，湿地植被覆盖度20.92%；湖泊湿地植被面积0.98万公顷，湿地植被覆盖度36.83%；沼泽湿地植被面积14.07万公顷，湿地植被覆盖度62.91%；人工湿地植被面积2.74万公顷，湿地植被覆盖度11.06%。

第二节 湿地动物资源

1 湿地野生动物种类组成及特点

1.1 湿地野生动物种类

据《河北动物志》记载，河北省湿地陆生野生动物有441种，隶属4纲28目85科216属。其中两栖类12种，计2目6科6属，占总种数的2.72%；爬行类11种，计2目5科8属，占总种数的2.49%；哺乳类29种，计5目10科21属，占总种数的6.58%。鸟类389种，计19目64科181属，占总种数的88.21%（详见附录2）。

本次调查记录，湿地陆生野生动物234种，隶属于4纲22目58科。其中，两栖类1目5科9种；爬行类2目3科8种；鸟类15目42科199种；哺乳类4目8科18种。另外，河北湿地有鱼类211种，其中海洋鱼类100种，占总数的47.39%；淡水鱼类111种，占总种数的52.61%。

1.2 湿地陆生野生动物区系组成

按照野生动物区系划分，河北省湿地陆生野生动物区系组成以古北种为主，记录有313种，占湿地野生动物总数的70.98%；其次为广布种，有104种，占湿地动物总数的23.58%；东洋种最少，仅有24种，占动物总数的5.45%（表3-5）。这与河北省所处地理位置、水热条件有很大关系，是物种适应区域生境变化和生存环境选择的结果。

表 3-5 河北省湿地陆生野生动物区系组成统计表

纲	古北种			广布种			东洋种		
	种数	占总种数（%）	占本区系种数(%)	种数	占总种数（%）	占本区系种数(%)	种数	占总种数（%）	占本区系种数(%)
鸟 纲	295	66.89	94.25	73	16.55	70.19	21	4.76	87.50
两栖纲	1	0.23	0.32	10	2.27	9.62	1	0.23	4.17
爬行纲	4	0.91	1.28	6	1.36	5.77	1	0.23	4.17
哺乳纲	13	2.95	4.15	15	3.40	14.42	1	0.23	4.17
总 计	313	70.98	100.00	104	23.58	100.00	24	5.45	100.00

按照动物分布区的自然地理区域划分，河北省湿地陆生野生动物分为 12 种类型：全北型、古北型、东北型、华北型、东北—华北型、中亚型、草原型、季风型、东洋型、高地型、南中国型、喜马拉雅—横断山区型(表 3-6)。

表 3-6 河北省湿地陆生野生动物分布型统计表

分布型	种数	占总种数百分比(%)	其 中			
			两栖类	爬行类	鸟类	哺乳类
总 计	441	100.00	12	11	389	29
全北型	78	17.69			75	3
古北型	104	23.58		1	92	11
东北型	83	18.82	2		81	
华北型	3	0.68	1		2	
东北—华北型	13	2.95	2	1	6	4
中亚型	22	4.99			20	2
草原型	1	0.23				1
季风型	14	3.18	4	4	5	1
东洋型	50	11.34	1		47	2
南中国型	11	2.49	2	4	4	1
高地型	5	1.13			5	
喜马拉雅—横断山区型	2	0.45			2	
不易归类的	55	12.47		1	50	4

全北型：分布范围横贯欧亚大陆寒温带及北美，其分布区不同程度地向南伸展，并沿着我国季风区向南渗透。河北省湿地动物有 78 种属于全北型，占湿地动物总数的 17.69%，其中，鸟类 75 种(图 3-1)，哺乳类 3 种。

古北型：分布范围横贯欧亚大陆寒温带，其分布区南部通过我国东北北部和新疆北部。河北省湿地动物属于古北型种类有 104 种，占湿地动物总数的 23.58%。其中，爬行类 1 种，鸟类 92 种(图 3-2)，哺乳类 11 种。它们在我国主要沿着东部季风区分布，很少越过秦岭—淮河一线以南。

图 3-1 小天鹅(李新维摄于平山县)

图 3-2 黑鹳(李新维摄于涞水县)

东北型：其分布位于我国东北及其邻近地区。河北省湿地动物属于东北型的有 83 种，占总数的 18.82%。其中鸟类 81 种(图 3-3)，爬行类 2 种。

华北型：其分布范围主要是华北区。全省湿地陆生野生动物仅有 3 种，即山噪鹛(图 3-4)、细纹苇莺和北方狭口蛙，占总数的 0.68%。山噪鹛广泛分布于冀北、冀西山区，细纹苇莺分布全省内陆各类型湿地，北方狭口蛙分布在保定以南的湿地区域中，在国外多见于朝鲜与俄罗斯。

图 3-3 丹顶鹤(赵俊清摄于海兴县)

图 3-4 山噪鹛(刘学忠摄于北戴河)

东北—华北型：其分布范围包括我国古北界的整个东北亚界，广泛分布于我国东北、华北大部分地区。河北省湿地陆生野生动物属于东北—华北型种类有 13 种，占总数的 2.95%。其中，两栖类 2 种，爬行类 1 种，鸟类 6 种，哺乳类 4 种。包括灰椋鸟、鳞头树莺(图 3-5)、花背蟾蜍、中国林蛙和丽斑麻蜥等。其中花背蟾蜍分布北至蒙古和俄罗斯典型寒温带针叶林以南，西达新疆东端，南抵亚热带北限，东部可见于淮北地区；中国林蛙西南可延伸至青藏高原东北，东北可延伸至阿尔穆、乌苏里、朝鲜半岛；丽斑麻蜥分布南至秦岭—淮河一线，伸展分布至蒙古与朝鲜半岛。

中亚型：分布于亚洲大陆中心部分，在我国主要见于蒙新高原的荒漠—草原地带，是蒙新区的代表成分。河北省湿地陆生野生动物属于中亚型的种类有 22 种，占总数的 4.99%。其中，鸟类 20 种(图 3-6)，哺乳类 2 种。

图 **3-5**　鳞头树莺(刘学忠摄于北戴河)

图 **3-6**　遗鸥(崔建军摄于沽源县闪电河湿地)

草原型：分布于蒙古高原，又称蒙古高原型。在我国分布于蒙新高原的芒漠—草原地带，是蒙新区的代表成分。河北省内主要见于张家口与承德坝上草地与草本沼泽等区域。主要物种为达乌尔黄鼠 1 种，占总数的 0.23%。

季风型：主要分布于我国东部湿润地区。河北省湿地野生动物中属季风型的种类有 14 种，占总数的 3.18%。其中，两栖类 4 种，爬行类 4 种，鸟类 5 种，哺乳类 1 种。包括鸟类的鸳鸯(图 3-7)，两栖类的中华蟾蜍、黑斑蛙、鳖，爬行类的虎斑颈槽蛇、赤链蛇、赤峰锦蛇等。其中黑斑蛙、鳖、虎斑颈槽蛇分布延伸至俄罗斯远东地区；中华蟾蜍和赤峰锦蛇东北方向可至乌苏里、朝鲜；赤链蛇和短尾蝮分布东部包括朝鲜、日本。

东洋型：分布起于印度半岛、中南半岛及附近地区，沿季风区北伸至温带，是华南区的代表成分。河北省湿地陆生野生动物中属东洋型的有 50 种，占总数的 11.34%，其中两栖类 1 种，鸟类 47 种，哺乳类 2 种。包括鸟类的黑脸琵鹭(图 3-8)、白鹭和彩鹬等，哺乳类的猪獾、青鼬和两栖类的泽陆蛙。

图 **3-7**　鸳鸯(李剑平摄于平山县滹沱河湿地)

图 **3-8**　黑脸琵鹭(刘学忠摄于昌黎县)

南中国型：主要分布于我国亚热带以南地区，为东洋界特有种，是华中区的代表成分，其现在繁殖中心是我国的热带和亚热带，有些种类可延伸至华北。河北省湿地陆生野生动物中属南中国型的有 11 种，占总数的 2.49%。其中，两栖类有 2 种，爬行类有 4 种，鸟类有 4 种(图 3-9)，哺乳类有 1 种。包括双斑锦蛇和玉斑锦蛇等。它们分布于我国东洋界各地，并且分布延伸至华北区。

高地型： 主要分布于青藏高原，从昆仑山及祁连山脉到横断山脉北部与喜马拉雅的高山带，属古北界，为青藏区的代表成分。河北省湿地陆生野生动物中属于此型的有5种，占总数的1.13%。包括鸟类中的棕头鸥、鹮嘴鹬(图3-10)、斑头雁、北岭雀和红腹红尾鸲。

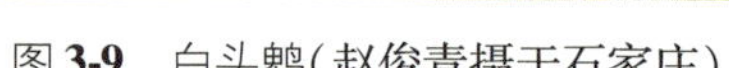

图**3-9** 白头鹎(赵俊青摄于石家庄)

图**3-10** 鹮嘴鹬(赵俊青摄于承德滦平县)

喜马拉雅—横断山区型： 主要分布在横断山脉中低山或延伸至喜马拉雅山南坡森林带的种类，属于东洋界，是"西南区"的代表成分。河北省湿地陆生野生动物属于此型的有2种，即鸟类中的歌鸫与短翅鸲(图3-11)，占总数的0.45%。歌鸫即宝兴歌鸫是我国特产鸟类，仅分布在我国西部四川、贵州、云南、陕西南部秦岭、甘肃南部与西部，向东向北沿季风区延伸至河北东陵及内蒙古宁城一带。短翅鸲分布于喜马拉雅山、缅甸、印度北部到中国中部，并向北渗透到华北区与蒙新区交界处。

图**3-11** 短翅鸲(刘学忠摄于北戴河)

1.3 特 点

1.3.1 种类多

河北省湿地类型众多，包含滩涂、河流入海口、泻湖、季节性咸水沼泽、草本沼泽、沼泽化草甸、淡水和咸水湖泊、人工养殖场等。丰富多样的湿地环境，不但为野生动物提供了良好的栖息生境，也为之提供了丰富的食源，因而湿地野生动物，尤其是鸟类资源比较丰富。据调查，湿地陆生野生动物有441种，占全省动物总数的74.87%，占全国陆生野生动物种数的18.62%(吴跃峰等，2009；刘明玉等，2000），见表3-7。

表3-7　河北省湿地陆生野生动物统计对比表

项　目	目	科	属	种
湿地陆生野生动物	28	85	216	441
河北省陆生野生动物	31	104	291	589
占全省陆生野生动物比例(%)	90.32	81.73	74.23	74.87
全国陆生野生动物	42	168	758	2369
占全国陆生野生动物比例(%)	66.67	50.60	28.50	18.62

1.3.2　种群数量大

河北省湿地陆生野生动物种群数量大。优势种主要有环颈鸻、红嘴鸥、黑翅长脚鹬、赤麻鸭、凤头麦鸡、须浮鸥、黑斑蛙、丽斑麻蜥等。调查统计数量在1万只以上的物种有52种，常见种类有环颈鸻、红嘴鸥、黑翅长脚鹬、赤麻鸭、凤头麦鸡、须浮鸥、小鸊鷉、池鹭、黑水鸡、苍鹭、东方大苇莺、红脚隼、黑斑蛙、中华蟾蜍、丽斑麻蜥等。

1.3.3　迁徙鸟类多

从留居型来看，鸟类中以旅鸟为主，数量为232种，占湿地鸟类的59.64%，其他种类分别为冬候鸟21种，夏候鸟94种，留鸟40种，迷鸟2种。河北省沿海、坝上高原等湿地，既适合许多动物栖息繁衍，也是许多候鸟迁徙的中途停息、补充食物与能量的重要栖息地，是世界候鸟迁徙通道。河北湿地野生动物种群数量特别是鸟类数量随季节呈现出波浪式变化。冬季湿地野生动物种群数量少而稳定；春季随着气候变暖，许多鸟类逐渐迁往繁殖地，河北湿地鸟类种群数量明显增多，大部分鸟类飞往繁殖地，部分种类则留在河北湿地进行繁殖；夏季，湿地野生动物种群数量较为稳定；当天气逐渐变冷，许多鸟类开始南迁过冬，河北湿地鸟类种群数量明显增多。每到春秋时节，无论是沿海、坝上高原，还是衡水湖、白洋淀等湿地，以雁、鸭、鸥、鹬等为代表的种类群鸟共舞，种群数量多时可达上万只甚至十几万只，景象蔚为壮观。

1.3.4　地理区系复杂

河北省湿地陆生野生动物有12种分布型(表3-6)，古北型最多，有104种；其他依次为东北型83种，全北型78种，东洋型50种，而喜马拉雅—横断山型最少，仅2种。由于河北省属古北界华北区，北与蒙新区及东北区相临，与秦岭、淮河所处的华中区西南区相接，西与蒙新区及青藏区接壤，东临渤海与黄海。是南、北动物种群及季风区与蒙新动物种群的混合地带。河北省湿地动物中华北型物种分布较少，多为东北型、全北型、古北型以及东北—华北型，表现为北方型，同时也有南方的高地型、喜马拉雅—横断山区型、南中国型及东洋型向区域内的渗透，由于东临季风区，季风型与中亚型物种也在此区有所体现。这一分布特点再次说明了河北省野生动物地理分布区的特殊性，即古北界向东洋界的过渡地带。

2　珍稀濒危湿地动物

湿地陆生野生动物中，国家Ⅰ级保护动物有14种，占湿地陆生野生动物总数的3.17%。分别是白鹳、黑鹳、大鸨(图3-12)、丹顶鹤、白鹤、白头鹤、短尾信天翁、遗鸥、金雕、白肩雕、白尾海雕、玉带海雕、虎头海雕和中华秋沙鸭。国家Ⅱ级保护动物58种，占湿地野生动物总数的13.15%。包括黑脸琵鹭、蓑羽鹤、草原雕等55种鸟类，哺乳类的西太平洋斑海豹、石貂以及两栖类的大鲵。国家"三有"保护动物103种，占湿地野生动物总数的23.36%。其中鸟类有大白鹭、大沙锥、黑翅长脚鹬等81种，哺乳类有赤狐、青鼬、刺猬等12种，两栖类与爬行类有黑斑蛙、金线蛙、赤峰锦蛇等10种。

图**3-12** 大鸨(赵俊清摄于黄骅市)

第四章 湿地资源利用

第一节 湿地资源利用方式及其利用现状

1 湿地资源现状

湿地资源是多种资源的综合体，包括水、土地、生物、景观、矿产、能源和人文等多种资源。

1.1 水资源

河北湿地水资源主要包括以河流、湖泊、库塘为主的淡水资源和永久或季节性湖泊的咸水资源以及以浅海水域为主的海水资源。

1.1.1 河 流

河北省河流众多，长度大于10公里的有300余条，按循环形式可以分为直接入海的外流河系和坝上地区流入湖淖的内陆河两大系统。外流河系主要有海河水系、滦河水系和辽河水系。

(1)内陆河。位于张家口坝上高原，流域面积1.17万平方公里。主要河流有安固里河、三台河、葫芦河、大青沟河，其特点是水少、源短，皆汇入星罗棋布的淖泊。多年平均径流量1.65亿立方米(河北省水利厅，2004)。

(2)海河水系。由北运河、潮白河及蓟运河等北系和永定河、大清河、子牙河及漳卫南运河等南系两部分组成，呈扇状分布于河北省中南部地区。河流多源于山西黄土高原，仅部分发源于河北太行山与燕山山脉，流域面积达12.57万平方公里。多年平均径流量67.10亿立方米。该水系最显著特点，一是河道进入平原后坡度平缓，二是主要河流上游已修建水库，下游河道几乎处于干涸状态。另外，上游地区植被多较差，水土流失严重，水含沙量大，致使河道淤积，河床抬高，成为半地上河或地上悬河。尤以漳河、滹沱河、永定河为甚，历史上均有“小黄河”之称。

(3)滦河及冀东沿海水系。由伊逊河、武烈河与青龙河等10余条主要支流组成。干流发源于河北坝上的巴彦古尔图山北麓，向北流入内蒙古自治区，称闪电河，经多伦县再次进入河北后称滦河，在隆化县郭家屯附近与小滦河汇合。行至潘家口穿越长城，经罗家屯峡谷进入冀东平原后于昌黎、乐亭入海。全长833公里，流域面积4.59万平方公里。水量丰沛，水质好，多年平均径流量48.58亿立方米。滦河在山区为砂卵石河床，宽500~1000米，进入平原后为沙质河床，河床宽2000~3000米，平均年输沙量2010万立方米(河北省人民政府，2007)。

(4)辽河水系。分布于河北省东北部的围场县、平泉县与辽宁省交界处，包括老哈河、阴河、舍力嘎河与大凌河。发源于围场及平泉县北部的坝上高原和燕山北麓，其河流水浅流急，进入辽宁省汇入辽河。省内流域面积0.44万平方公里。多年平均径流量2.82亿立方米(河北省水利厅，2004)。

1.1.2 湖泊、库塘

河北省湖泊分为淡水湖和咸水湖两大类。淡水湖主要分布在平原，面积较大的有衡水湖、白洋淀、永年洼等；咸水湖分布在张家口坝上高原，面积较大的有安固里淖、黄盖淖、察汗淖等。全省有大型水库21座，总库容127.06亿立方米(不含中央部门管理且跨省的水库——岳城水库和官厅水库)；中型水库41座，总库容16.54亿立方米（河北省水利厅，2013)。

1.1.3 水资源量

据《河北省水资源公报(2013)》，2013年全省水资源总量175.86亿立方米。全省地表水资源量76.83亿立方米，各流域地表水资源量与多年平均值相比，除黑龙港及运东平原偏多3.8%，其余流域都不同程度偏少，其中漳卫河平原及徒骇马颊河平原产流量均为零。全省入境水量27.69亿立方米，按流域分区，以海河南系最多，为23.84亿立方米，占全省入境水量的86.1%。全省出境水量26.54亿立方米，流入北京市9.28亿立方米，流入天津市11.59亿立方米，流入两市的水量占全省出境水量的78.6%。

全省浅层地下水资源量138.82亿立方米，平原区地下水资源量比多年平均值多12.98亿立方米。山区地下水资源量比多年平均值多1.86亿立方米。

2013年末省辖大中型水库蓄水34.63亿立方米。水利部海河水利委员会(海委)所辖潘家口、大黑汀、岳城三座大型水库年末共蓄水24.45亿立方米。白洋淀年末蓄水4.33亿立方米。衡水湖年末蓄水1.02亿立方米。

1.1.4 水环境状况

据河北省环境保护厅发布的《河北省环境状况公报(2013)》，河北省七大水系总体为中度污染，Ⅰ~Ⅲ类水质比例为48.57%。主要污染物为氨氮。其中，滦河水系和永定河水系为轻度污染，大清河水系、北三河水系为中度污染，漳卫南运河水系、子牙河水系和黑龙港运东水系为重度污染。对15座水库进行监测的结果为：13座水库水质达到了Ⅱ类水质标准，东武仕水库、龙门水库、衡水湖水质达到Ⅲ类水质标准；白洋淀水质Ⅴ类。近海与海岸湿地污染形势严峻，主要河流携带入海的污染物总量达32.39万吨，水体质量下降，未达到Ⅰ类水质标准的海域面积占全省海域面积的70%左右。

1.2 土地资源

河北省土地总面积1876.93万公顷，湿地总面积94.19万公顷，占河北省土地总面积的5.02%。其中，近海与海岸湿地占1.24%、河流湿地占1.13%、沼泽湿地占1.19%、湖泊湿地占0.14%、人工湿地占1.32%，如图4-1。

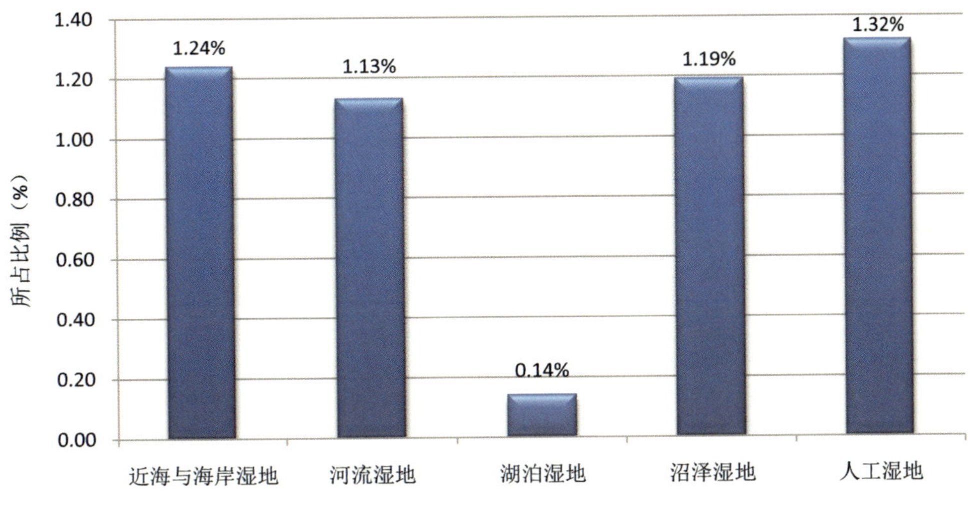

图 **4-1**　河北省各类湿地占河北省总土地面积百分比

随着工农业生产和人民生活用水的剧增，湿地生态用水不足，周边超采地下水现象日趋严重，许多湿地干涸、面积萎缩。随着土地资源开发利用受限，大量滩涂、沼泽、湖泊被围垦用作农业用地、牧业用地、水产养殖用地、交通用地、城市用地等，湿地性质被改变。

1.3　生物资源

湿地生物资源详见第三章。

1.4　景观资源

河北湿地分布广泛，类型多样，湿地景观资源丰富。有滦河、子牙河、潮白河、闪电河、拒马河、滏阳河、青龙河、北戴河等河流湿地景观；有以衡水湖、白洋淀、大浪淀、永年洼为代表的大大小小的湖泊湿地景观；有大黑汀水库、潘家口水库、洋河水库、岳城水库、桃林口水库、陡河水库、邱庄水库、岗南水库、黄壁庄水库、西大洋水库、龙门水库、安格庄水库等为主的库塘类人工湿地景观；有以北戴河沿海、滦河河口、沧州南大港、七里海泻湖、曹妃甸湿地等为代表的滨海湿地景观；有以咸水沼泽、盐碱滩涂、沼泽化草甸与湖淖为典型特征的高原湿地景观。白洋淀，是华北平原最大的淡水湖泊，古有"北地西湖"之称，今有"华北明珠"之誉，诗赞"北国江南"，歌咏"鱼米之乡"，是帝王巡幸之所，"荷花淀派"诞生之地，雁翎神兵扬威之处，"小兵张嘎"造就之域。北戴河湿地则是观鸟人的"麦加"，这里"鸥翔碧海自由戏，鸟择金巢引客来"，每年鸟类迁徙季节，都会迎来世界各地众多的观鸟爱好者，争相观录"万鸟临海"盛况。闪电河是滦河的源头，在辽阔的湿地草原上恣意流淌，九曲回折，意韵悠长，形成了沽源县标志性景观，千百年来，她像母亲一样滋育着坝上草原，使这里山清水秀、天蓝云白、鸟语花香、牛羊肥壮。

近年来，湿地旅游逐渐成为生态旅游的热点，为满足市场需求，更好地保护湿地资源，依托各湿地特有的湿地景观资源，河北省已经建立国家湿地公园 8 处，国家城市湿地公园 2 处，省级湿地公园 19 处。

1.5 矿产资源

河北湿地矿产资源主要有制盐业与盐化工业。早在明清时代，河北沿海地区就已利用海水晒盐制成卤块与芒硝，并初具规模。20 世纪 90 年代，对海水的利用进入机械化与规模化，并有了新的进展，可以生产钾、溴、镁和硝等 4 个系列多个品种，销往十多个省市。制盐是沿海地区传统产业，据《中国海洋统计年鉴(2013)》，河北省有盐田面积 8.44 万公顷，原盐年产量 334.69 万吨。

2 湿地资源利用方式及其利用现状

2.1 种植业利用现状

河北省湿地资源丰富、类型多样，许多湿地适于水生植物生长，主要品种有水稻、芦苇、蒲草、莲、茭白、泽泻、水蓼、藨草、莎草等。据《河北省农林统计年鉴》，2013 年，全省水稻种植面积 8.68 万公顷，稻谷产量 58.76 万吨，主要栽植区域为唐山、秦皇岛沿海地区以及滦河两岸，其他地区很少种植。据第二次湿地资源调查结果，全省湿地植被面积 22.48 万公顷，以天然植被为主，人工种植很少。作为蔬菜，莲藕、茭白在河北种植面积很小，多是在湖泊湿地中自然生长。据白洋淀管理部门不完全统计，莲藕作为观赏植物，淀区近年有村民进行种植，面积 5000 余亩，经济价值根据品种不同分采摘荷叶、卖种苗、卖食用藕等，没有形成规模产业。芦苇、香蒲等湿地植物是发展轻工业的重要原材料，主要分布在白洋淀、衡水湖、南大港等湖泊湿地，少量分布在库塘、河流和沼泽湿地中，近年来，由于其利用价值相对较低，不再作为一个产业来发展。

2.2 养殖业利用现状

河北省水域辽阔，河流纵横，湖淖库塘密布，鱼类饵料资源丰富，水域理化性状优良，气候条件优越，适合两栖类、雁鸭类、鱼类、甲壳类、贝类繁衍生息。近年来，全省利用湿地进行水产养殖，规模大、发展快、产值高。据 2013 年统计，全省水产养殖面积 19.73 万公顷，水产品总产量 90.25 万吨。其中，海水养殖面积 11.79 万公顷，产量 45.23 万吨，养殖面积和产量分别占全省总量的 59.77% 和 50.11%，养殖种类以贝类为主，占海水养殖总量的 72.08%，鱼类、甲壳类等其他种类占 27.92%。淡水养殖面积 7.94 万公顷，产量 45.02 万吨，养殖面积和产量分别占全省总量的 40.23% 和 49.89%，主要分布于唐山、石家庄、张家口地区，养殖种类以鱼类为主，占淡水养殖总量的 91.46%，甲壳类、贝类等其他品种仅占 8.54%（河北省人民政府办公厅等，2014）。

湿地陆生动物养殖，品种少，规模较小，且分散。雁鸭类养殖主要分布于白洋淀、衡水湖等湖泊周边和河流两岸。主要养殖种类有鸭、鹅、鸿雁和灰雁等，由于产业规模小，受市场影响大，没有翔实的统计数据。

2.3　牧业利用现状

河北省适于畜牧业生产的湿地资源丰富，类型多样。森林沼泽、内陆盐沼、季节性咸水沼泽和沼泽化草甸有丰富的湿地植物特别是草本植物资源，为草食性动物提供充足食物，成为河北省重要的畜牧业养殖场。全省用于畜牧生产的湿地草场面积约 16.29 万公顷，主要集中在张家口和承德坝上地区，主要养殖品种有奶牛、肉牛、马、驴、羊等。

2.4　林业利用现状

林业利用湿地主要是河流湿地、海岸湿地以及功能退化的湿地营造的各种类型的防护林、用材林以及经济林。主要包括平原地区河流两岸、湖泊周边的防护林网、用材林等；坝上地区河流两岸、湖淖和沼泽周边以及荒滩营造的防护片林、防护型经济林；沿海河流入海口、滩涂营造的防护林带等。湿地内有林地总面积 70372 公顷，占湿地面积的 7.5%，主要树种为杨树、柳树、榆树、刺槐、云杉、沙棘、枸杞、柠条等，林木蓄积量 369 万立方米。

2.5　工矿业利用现状

湿地可提供大量矿产资源，成为工农业生产等各行各业赖以发展的重要物质基础，主要包括盐业生产、水力发电、化工产品及药品生产等。据《中国海洋统计年鉴(2013)》，全省盐田总面积 8.44 万公顷，年产原盐 334.69 万吨，集中分布于唐山和沧州沿海地区。据《河北水利统计年鉴(2013)》，河北省水电装机共 243 处 38.53 万千瓦，水电站全年发电量为 5.34 亿千瓦时，电站水库库容 112.66 亿立方米，产值 2.12 亿元。

2.6　旅游业利用现状

湿地具有自然观光、旅游、娱乐等美学方面的功能和巨大的景观价值。河北湿地分布广泛，类型齐全，湿地景观资源丰富。长期以来，湿地特有的资源优势和环境优势，为人们提供了集聚场所、娱乐场所、科研和教育场所。

河北省有许多重要的旅游风景区，从皇家园林承德避暑山庄、皇家猎苑塞罕坝森林公园、历史军事要塞山海关到坝上明珠草原湖、“雄、险、奇、幽”野三坡、景色秀美的驼梁五岳寨，都有河流湿地、近海与海岸湿地、湖泊湿地、沼泽湿地、人工湿地分布，构成重要的景观资源。典型的湿地类型旅游风景区白洋淀、衡水湖、北戴河、闪电河湿地等。

湿地公园是指具有显著或特殊生态、文化、美学和生物多样性价值的湿地景观，可供公众游览、休闲或进行科学、文化和教育活动的特定区域。截至 2014 年 6 月，河北省建立湿地公园 29 个。这些湿地公园以其特有的湿地文化背景、独特的湿地秀色风景，吸引着成千上万的游客前往观光旅游、休闲度假、参观学习、科学考察。同时对扩大湿地保护宣传、增强人们湿地保护意识起到积极作用。

2.7　水源利用现状

据《河北省水资源公报(2013)》，2013 年全省地表水资源量 76.83 亿立方米，地下水资源量

138.82 亿立方米，扣除地表水和地下水资源的重复计算量，全省水资源总量 175.86 亿立方米。

2013 年全省供水量 191.29 亿立方米，其中地表水工程供水量 43.13 亿立方米，地下水开采量 144.57 亿立方米，其他水源供水量 3.59 亿立方米。地表水工程供水中，蓄水工程供水 8.86 亿立方米，引水工程供水 25.68 亿立方米，取排水泵站工程供水 7.06 亿立方米。

2013 年全省用水量 191.29 亿立方米，其中农田灌溉用水量 126.35 亿立方米，林牧渔畜用水量 11.29 亿立方米，工业用水量 25.23 亿立方米，城镇公共用水量 4.98 亿立方米，居民生活用水量 18.79 亿立方米，生态环境用水量 4.65 亿立方米，分别占总用水量的 66.1%、5.9%、13.2%、2.6%、9.8%、2.4%。

1983～2012 年，向天津供水 162.00 亿立方米，年均供水 5.4 亿立方米。2013 年向北京输水 4.33 亿立方米。

第二节 湿地资源可持续利用前景分析

1 湿地可持续利用优势

湿地兼有陆地和水域生态系统的特征，是一项宝贵的自然财富，其经济、生态和社会效益巨大。合理利用之，充分发挥其重要的供给、调节、文化和支持等多种服务功能，可有效保护湿地资源、保证湿地资源可持续利用，对保护自然环境、维持和促进生态平衡意义重大。河北省湿地类型多，湿地资源丰富。多年来，湿地为人们创造了巨大的经济、社会和生态效益。据统计，湿地每年提供淡水 120.17 亿立方米。湿地是其他任何单一生态系统都无法比拟的天然基因库，对保护遗传资源，维持生物多样性具有难以替代的作用。湿地具有很强的降解污染功能，许多湿地生长的植物、微生物通过物理过滤、生物吸收和化学合成与分解等把人类排入湖泊、河流等湿地的有毒有害物质转化为无毒无害甚至有益的物质。湿地通过诱发降雨与增加地下水供应可以调节区域气候，在增加局部地区空气湿度、削弱风速、缩小昼夜温差、降低大气含尘量等气候调节方面都具有明显的作用。湿地在控制洪水、调节水流方面功能巨大，在蓄水、调节河川径流、补给地下水和维持区域水平衡中发挥着重要作用。湿地为不同生态类型的野生动植物提供了适宜的栖息环境。另外湿地还具有教育价值和审美价值。从人类社会历史进程看，人类的进化、繁衍、生存和发展都与湿地息息相关。从湿地生态系统强大的服务功能来看，人类社会的持续发展离不开湿地的可持续利用。

2 湿地合理利用措施

2.1 加强对现有湿地资源，特别是自然湿地资源的抢救性保护

湿地生态系统是河北省重要的自然生态资本，但其现状不容乐观，现有湿地资源整体上呈湿地面积逐步减少、生态质量逐步下降、生态功能逐步降低的趋势，全省现存每一块湿地均处于高

强度的人为活动干扰状态下。合理利用湿地资源的首要前提就是要加强对现有资源的抢救性保护，彻底扭转目前湿地生态环境恶化的趋势，为湿地资源可持续利用提供保障。

2.2　采取有效措施，恢复湿地生态功能

在国土资源土地分类中，湿地属于未利用地。因此，长期以来，围垦和占用湿地的现象普遍存在。今后，应该严格遵守相关法律法规，禁止非法占用、开垦、填埋、排干湿地或者改变湿地用途等行为。采取有效措施，恢复湿地面积及其生态功能。对于已经围垦的湿地，实施退耕(牧)还湿(泽、湖)；对于功能退化的湖泊、河流等湿地采取生态修复、生态补水、限牧、移民搬迁、有害生物防治等措施；对污染湿地进行综合治理，防止水质继续恶化。对湿地资源健康和功能状况进行科学评价，为将来更好的合理利用湿地资源奠定基础。

2.3　节约用水，提高水资源利用率

水资源不合理利用加剧了河北省湿地水资源的短缺。多年来，河北省工农业及生活用水都不同程度存在浪费或利用率低的问题。据统计，全省农田灌溉用水量占总用水量的66.05%，但农田灌溉水利用系数平均不到0.5，作物水分生产效率为0.8公斤/立方米左右，远低于世界先进国家的水平；工业用水的重复利用率在30%～40%，远低于发达国家的75%～85%；居民生活用水的浪费损失率在15%～20%，远高于建设部8%的控制标准(河北省水利厅，2014a；孟霄等，2006)。因此，必须采取有效措施，缓解河北省湿地水资源短缺压力，大力倡导和实施节约用水与高效用水，积极推广高效农业灌溉节水技术，提高工业用水的重复利用率，减少居民生活用水浪费，借助污水处理工程和湿地的净化功能实现城市生活污水的再利用。

2.4　有效治理湿地污染源，维护湿地水环境质量

一是制定并实施污水零排放政策。建立城市污水综合处理厂，改进生产工艺和生产流程，推广水资源循环利用；改变湿地周边的工农业生产布局，关闭污染严重的造纸厂、化工厂、冶金厂等企业。二是控制围网养殖规模。近年来，围网养殖发展迅猛，养殖规模超过了水环境的生态承载力，导致水体富营养化，过量施入饵料加剧了水体恶化的趋势。建议科学评估单个水体的生态承载力，控制围网养殖的规模，或者采用科学的技术控制高密度围网养殖产生的污染，在提供足够的水产品，丰富居民食物来源的同时，维护水环境质量。三是减少农业面源污染。科学施用化肥、农药，减少化肥、农药使用量，提高化肥、农药利用率；大力开展村镇环境整治，实行垃圾集中处理；通过多途径，减少农业面源污染。

2.5　合理利用湿地景观资源，发展湿地生态旅游

在维护湿地生态平衡、保护湿地功能和生物多样性的前提下，通过建立湿地保护区、湿地公园等方式，开展湿地生态旅游，展示湿地自然景观和独特的生物多样性、湿地文化，发挥湿地公园湿地休闲、湿地科普教育等方面的作用，最大限度发挥湿地的经济、社会效益。

2.6　建立湿地资源评价体系，实行湿地生态补偿制度

湿地的功能是多方面的，因其类型、所处自然地理与社会经济条件不同，其效益和价值具有明显的差异。目前有必要研究制定一套适合我国国情和河北省省情的湿地效益和价值评价指标体系，量化湿地资源价值，开展湿地效益与价值评估。通过评估，确定湿地的生态价值和经济价值，为实施湿地生态补偿奠定基础。湿地生态补偿制度是湿地保护体系的重要组成部分，是湿地生态系统保护的内在激励机制和相关制度发挥作用的原动力。建立湿地生态补偿制度，有利于保护和充分发挥湿地生态系统的生态功能，保障国家生态安全；有利于经济、社会和湿地生态系统之间的协调，推进社会可持续发展；有利于加强湿地保护的基础设施建设，提升我国湿地保护工作的管理能力。

第五章 湿地资源评价

第一节 湿地生态状况

河北省湿地的生态状况形势严峻，现有湿地正在经历着一个由湖及泽、由泽及陆、由湿变干的退化过程。原有的文安洼、宁晋泊、贾口洼、东淀、草泊、献县洼等许多自然湿地均已退化为荒滩或改造为劣质耕地。与此同时，河流上游地区几百座大中型水库的建设导致平原地区的河流几乎全部干枯断流，湿地失去补水来源。湿地的消亡和退化，急剧恶化了平原地区的水环境，成为引发部分地区水荒的直接影响因素，影响着平原地区的城乡建设和经济发展。

1 湿地水文水质状况

1.1 水 文

1.1.1 水源补给

河北省湿地的水源补给方式主要分为四类，包括地表径流、大气降水、地下水补给和人工补给。其中，地表径流和大气降水是河北省湿地水源补给的主要方式，人工补给方式对于衡水湖、白洋淀、南大港、永年洼和南宫湖等湖泊类湿地水源补给发挥着越来越重要的作用。调查发现，4 个湖泊省级湿地公园需要较多的人工补给。衡水湖主要通过引黄入湖进行人工补给，2010 ~ 2012 年年均引水量约为 6653 万立方米；白洋淀自 2006 ~ 2012 年连续 4 次引黄济淀，分别引水 10010 万立方米、15760 万立方米、11080 万立方米、9300 万立方米；沧州南大港湿地主要从南排河、廖家洼排河拦蓄客水注入湿地，2010 ~ 2014 年分别拦蓄客水 2500 万立方米、2800 万立方米、3500 万立方米、1300 万立方米、600 万立方米；南宫群英湖省级湿地公园主要通过引黄入湖补水，2010 ~ 2014 年年均引水 580 多万立方米。沼泽湿地中，永年洼省级湿地公园、曹妃甸湿地与鸟类自然保护区和海兴湿地与鸟类自然保护区 3 块湿地一定程度上都需要人工补给，河流湿地和近海与海岸湿地靠地表径流、大气降水或地下水补给。

1.1.2 地面水流出状况

河北省湿地的地面水流出状况分为三类：地面水无流出、地面水间歇性或季节性流出和永久性流出。根据河北省第二次湿地资源调查成果统计，出现地面水永久性流出现象的湿地比例最高，占60.98%，地面水无流出现象的湿地占21.95%，地面水间歇性或季节性流出的湿地占17.07%；石臼坨鸟类省级自然保护区的地面水既存在永久性流出现象，又存在间歇性或季节性流出的现象。

河北省湿地的地面水流出状况与河北省的水系分布存在一定的关系。河北省自产地表水面积18.77万平方公里，其中海河、滦河流域面积17.16万平方公里，占全省地表水面积的91.44%；内陆河、辽河流域面积1.61万平方公里，仅占全省地表水面积的8.56%。海河、滦河流域作为河北省的最重要水系，为河北省湿地的形成与功能发挥奠定了基础。海河是我国七大江河之一，拥有蓟运河、潮白河、北运河、永定河、大清河、子牙河、漳卫南运河等7条支流，最后汇集天津，注入渤海。滦河发源于河北省北部张家口市境内的巴彦古尔图山北麓，向北流入内蒙古自治区，后向东南急转进入河北省东北部，一直向东南流入渤海。因此，在河北省内，与海河、滦河流域密切相关的湿地的地面水流出状况大部分为永久性流出，包括自然保护区、湿地公园和其他重点湿地，例如滦河河口湿地、河北御道口自然保护区、坝上闪电河国家湿地公园、丰宁滦河源省级湿地公园、滦河三角洲湿地、滦河、潮白河、洋河。而其他与小流域、自然洼地等相关的湿地和靠近海岸线的湿地，地面水流出状况则表现为不流出和间歇性流出现象。

1.1.3 地表水积水状况

河北省湿地的地表水积水状况总体较好。在41个重点湿地中，永久性积水的湿地达到95%以上，部分湿地存在永久性积水和季节性积水现象，只有个别的湿地表现为季节性积水。

河北省湿地的地表水大部分为永久性积水，这是由于河北省特殊的气候条件和地理位置等多方面的影响造成的。河北属暖温带、半湿润-半干旱大陆性季风气候，降水分布不均。河北省较少出现时间长、强度大的极端干旱天气，且燕山南麓和太行山东侧迎风坡，形成两个多雨区。另外，河北省位于华北平原的北部，东临渤海，海岸线长487公里，沿海和近海湿地的水源可以得到很好的补充。因此，良好的气候条件和临海而依的地理位置，造就了河北省湿地良好的积水状况。

1.2 水 质

1.2.1 地表水水质状况

河北省环保厅发布的《河北省环境状况公报(2013)》显示，2013年全省七大水系水质总体为中度污染，Ⅰ~Ⅲ类水质断面比例为48.6%。七大水系的氨氮浓度均值与上年相比升高了20.3%，化学需氧量(COD)浓度均值降低了8.2%。永定河水系、滦河水系为轻度污染，大清河水系、北三河水系为中度污染，漳卫南运河水系、子牙河水系和黑龙港运东水系为重度污染。河北省15座水库中，东武仕水库、龙门水库水质达到了Ⅲ类水质标准，其余13座水库水质均达到了Ⅱ类水质标准。衡水湖水质为Ⅲ类，白洋淀水质Ⅴ类。近海与海岸湿地污染形势严峻，主要河流携带入海的污染物总量达32.39万吨，水体质量下降，未达到Ⅰ类水质标准的海域面积占全省海域面积的70%左右。

第二次湿地资源调查显示，河北省重点调查湿地地表水水质总体处于轻度污染。如表5-2和图5-1 A所示，地表水水质Ⅰ类的湿地最多，占湿地总数的1/3，其次为Ⅲ类水质的湿地，约占总数的1/4，Ⅰ类、Ⅱ类和 Ⅲ 类三种水质共占总数的73.2%，Ⅳ 类和Ⅴ 类水质的湿地数量占总数26.8%。而所有调查湿地中，不存在重度富营养的水质，轻度及其以下富营养水平水质的湿地占调查总数的63.5%（表5-1）。

表5-1　河北省重点湿地地表水水质状况

水环境状况	分级	重点湿地数量	百分比(%)
水质级别	Ⅰ	14	34.15
	Ⅱ	6	14.63
	Ⅲ	10	24.39
	Ⅳ	6	14.63
	Ⅴ	5	12.20
富营养化	贫营养	17	41.46
	轻度	11	26.83
	中度	13	31.71
	重度	0	0

从图5-1可知，总体上调查湿地的地表水呈弱碱性，pH值范围为7.0~8.7(图5-1 B)。根据目前国际上普遍采用的盐分划分等级(淡水——矿化度为1.0克/升，轻度盐化水——矿化度为1.0~3.0克/升，中度盐化水——矿化度为3.0~10.0克/升，盐化水——矿化度为10.0~35.0克/升)，河北省湿地的地表水大部分为淡水，矿化度处于0.2~0.9克/升之间，小部分湿地的矿化度为1.0~2.0克/升，属于轻度盐化水；只有沧州南大港湿地，由于其紧邻海岸线，同时该区土壤盐碱化严重，因此地表水水质矿化度较高，为10.0克/升，达到了盐化水的程度(图5-1 C)。水体透明度的高低也直接体现了水质的状况，河北省的湿地水体透明度较高，3.0米以上水体透明度的湿地占调查总数的82.9%，6.0米以上水体透明度的湿地占调查总数的65.9%(图5-1 D)。

总体程度上，河北省湿地的地表水水质为轻度污染。调查结果与河北省水环境公告存在一定差异。当然，由于近年来社会对湿地重要性认知的不断增加，湿地自然保护区、湿地公园等项目工程不断建立，河北省湿地地表水水质改善的趋势也在情理之中。

1.2.2　地下水水质状况

据《河北省环境状况公报(2011)》，河北省地下水污染整体虽不严重，但局部问题比较突出，由于缺少天然径流，长年贮存污水的河道、坑塘周边地下水污染问题日益突出。新型污染物不断涌现，持久性有机污染物及有毒有害物质的水环境污染问题日益凸显，威胁到水环境安全和人体健康。

河北省湿地的地下水水质与地表水水质相近，整体表现较好，与河北省环境状况公报相符。所调查湿地中，不存在Ⅴ类水质的湿地，Ⅳ类水质的湿地仅为1个，其余湿地的地下水水质均为Ⅲ类及其以上。地下水的酸碱度整体偏碱性，pH值范围为6.8~9.0，pH>7.0的湿地占较大比例(图5-2 A)。湿地地下水大部分为淡水，矿化度处于0~0.90克/升之间，小部分湿地的矿化度属于轻度盐化水；同样是沧州南大港湿地，地下水和地表水紧密相关，其矿化度均较高(图5-2 B)。

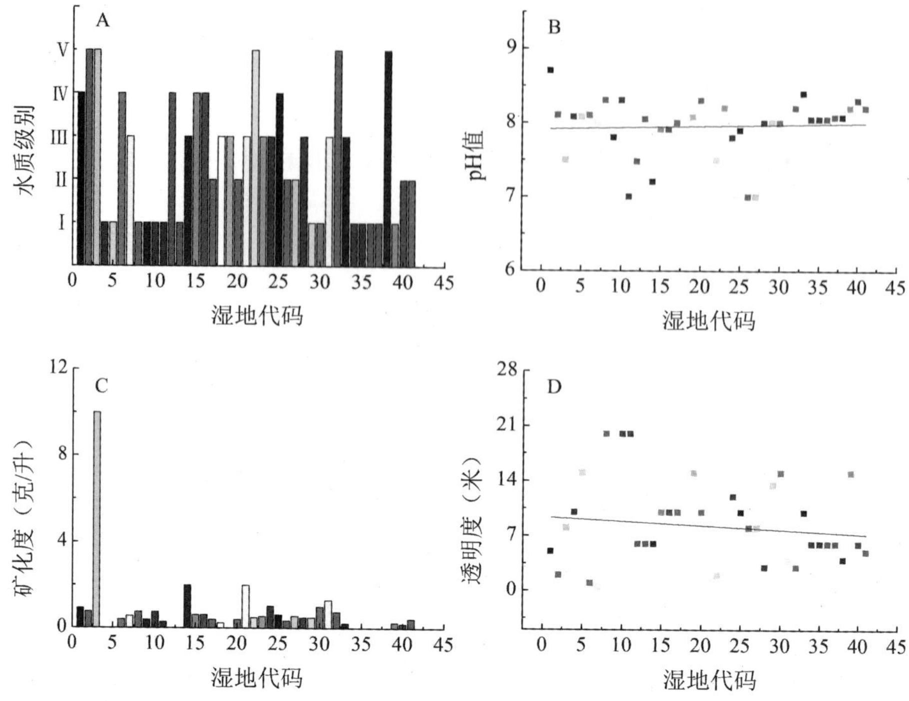

图 **5-1** 河北省重点湿地地表水水质状况

注：湿地代码分别代表：1. 衡水湖；2. 白洋淀；3. 沧州南大港湿地；4. 昌黎黄金海岸；5. 北戴河沿海湿地；6. 滦河河口湿地；7. 张家口坝上湿地；8. 塞罕坝国家级自然保护区；9. 滦河上游国家级自然保护区；10. 河北御道口自然保护区；11. 河北辽河源省级自然保护区；12. 曹妃甸湿地与鸟类自然保护区；13. 石臼坨鸟类省级自然保护区；14. 海兴湿地与鸟类自然保护区；15. 平山冶河黑鹳觅食地自然保护小区；16. 平山王母黑鹳觅食地自然保护小区；17. 平山下槐、小觉黑鹳觅食地自然保护小区；18. 坝上闪电河国家湿地公园；19. 北戴河国家湿地公园及周边湿地；20. 涞源拒马源国家城市湿地公园；21. 永年洼省级湿地公园；22. 南宫群英湖省级湿地公园；23. 溢泉湖省级湿地公园；24. 清凉湾省级湿地公园；25. 冶河省级湿地公园；26. 青塔湖省级湿地公园；27. 玉泉湖省级湿地公园；28. 清水河省级湿地公园；29. 丰宁滦河源省级湿地公园；30. 海流图国家湿地公园；31. 康巴诺尔省级湿地公园；32. 洋河河谷省级湿地公园；33. 闪电河两岸；34. 乐亭近海与海岸湿地；35. 滦南近海与海岸湿地；36. 曹妃甸区近海与海岸湿地；37. 海兴、黄骅近海与海岸湿地；38. 滦河三角洲湿地；39. 滦河；40. 潮白河；41. 洋河；下同。

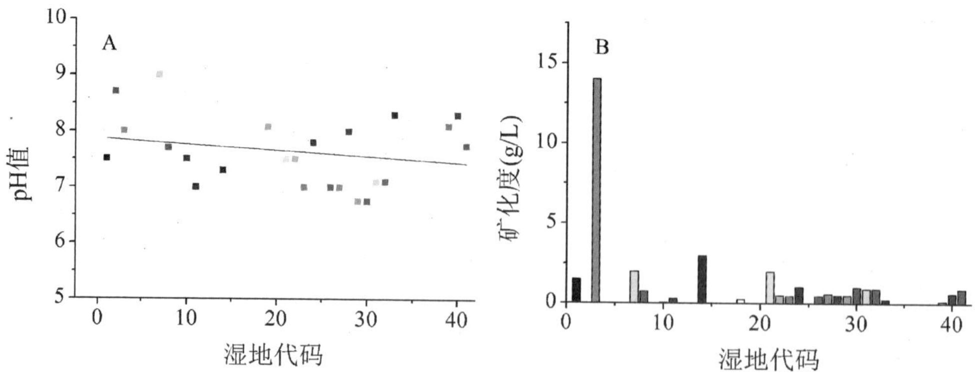

图 **5-2** 河北省重点湿地地下水水质状况

2　湿地生态环境状况

2.1　评价方法

2.1.1　评价指标选取

湿地生态环境状况直接反映了湿地生态系统的健康水平，也是评价湿地生态功能是否正常发挥和满足人类需要的重要依据。依据第二次河北省湿地调查成果数据，综合利用自然湿地面积、生物多样性、水环境及湿地利用和受威胁状况等方面指标(表5-2)，对第二次重点调查湿地进行湿地生态状况的综合评价。

表5-2　重点调查湿地指标体系一览表

一级	二级	三级	因子
自然指标	景观指标	自然湿地率	自然湿地面积/湿地总面积
		湿地密度	平均斑块面积/湿地总面积
		湿地斑块密度	湿地斑块数/湿地总面积
	生物多样性指标	单位面积物种多度	物种数量/湿地面积
		植被覆盖度	植被面积/湿地面积
		外来物种入侵	有、无
	水环境指标	污染物	有、无
		富营养	贫、中、富3级
		水质级别	Ⅰ、Ⅱ、Ⅲ、Ⅳ、Ⅴ5级
人为干扰指标	社会指标	人口密度	人口数量/重点调查面积
		利用情况	工(旅游)、农、水、未4级
	威胁指标	威胁因子数量	数量
		威胁程度	安全、轻、重3级

2.1.2　评价指标分级量化

根据各评价指标特征，采用德尔菲法对评价指标进行分级和赋值：

(1)自然湿地率、湿地密度、湿地斑块密度、单位面积物种多度、植被覆盖度、人口密度六个指标根据大小分为五级，分别赋值1、3、5、7、9。

(2)外来物种入侵、污染物两个指标分两个等级，“有”赋值2，“无”赋值8。

(3)营养状况分三级，贫营养赋值8，中营养赋值5，富营养赋值2。

(4)水质级别分五级，分别赋值9、7、5、3、1。

(5)利用情况分四级，工业(旅游)赋值3，农业(种植、牧业、林业)赋值5，水源地赋值7，未利用赋值9。

(6)威胁因子数量，分为十级，采用“10－数量”来赋值。

(7)威胁程度分为三级，安全赋值8，轻度赋值5，重度赋值2。

2.1.3　湿地综合得分计算

采用层次分析方法(AHP)，确定出指标权重(表5-3)，而后根据指标量化值和指标权重计算每处重点调查湿地生态状况综合得分。

表 5-3 指标体系权重表

一级	权重	二级	权重	三级	权重
自然指标	0.6	景观指标	0.10	自然湿地率	0.03
				湿地密度	0.012
				湿地斑块密度	0.018
		生物多样性指标	0.45	单位面积物种多度	0.108
				植被覆盖度	0.108
				外来物种入侵	0.054
		水环境指标	0.45	污染物	0.054
				富营养	0.081
				水质级别	0.135
人为干扰指标	0.4	社会指标	0.40	人口密度	0.064
				利用情况	0.096
		威胁指标	0.60	威胁因子数量	0.084
				威胁程度	0.156

2.1.4 湿地生态状况综合评价

根据综合得分，对重点调查湿地的生态状况进行综合评定，在 GIS10.0 软件支持下，采用自然断点法(natural breaks)对重点调查湿地的生态状况综合得分进行划分，分为好、中、差 3 个等级。

2.2 评价结果

2.2.1 生态状况等级分类

通过对河北省重点湿地调查发现，整个区域的湿地综合得分在 0.84 ~ 1.77 之间，平均值为 1.31(表 5-4)。根据自然断点法，将综合得分分成 3 类：1.45 ~ 1.77、1.21 ~ 1.45、0.84 ~ 1.21，分别代表好、中和差 3 个生态状况等级。与全国湿地生态状况相似，河北省湿地总体上处于中等水平，生态状况评级为“好”的湿地占到湿地总面积的 3.33%，评级中等档次的湿地占到湿地面积的 63.36%，获得“差”等级的湿地面积占到湿地总面积的 33.31%。在空间分布上，河北省重点湿地的生态状况没有明显的特征。

2.2.2 生态状况成因分析

自然因素是形成脆弱湿地生态环境的内因，人为因素是外因，是触发性因子。而对于河北省的湿地，人为干扰则成为生态环境状况较差的最主要因素。根据评价分级可以看出，白洋淀、南宫群英湖省级湿地公园、永年洼省级湿地公园、溢泉湖省级湿地公园、清水河省级湿地公园、康巴诺尔省级湿地公园、洋河河谷省级湿地公园等湿地的生态状况都属于“差”等级，可能与此类湿地的利用情况有关，其开发利用的主要生态功能之一为旅游休闲，造成了较大程度的人为干扰。不但增加了湿地区的旅游负荷，而且也带来了污染、水质变化等不利影响，增加了湿地的受威胁程度。

表 5-4　河北省重点调查湿地生态状况等级分类表

湿地名称	综合得分	分级	湿地个数	百分比(%)
丰宁滦河源省级湿地公园	1.77	好	8	3.33
海流图国家湿地公园	1.72			
河北辽河源省级自然保护区	1.68			
塞罕坝国家级自然保护区	1.65			
河北御道口自然保护区	1.62			
滦河上游国家级自然保护区	1.60			
北戴河沿海湿地	1.55			
石臼坨鸟类省级自然保护区	1.51			
平山下槐、小觉黑鹳觅食地自然保护小区	1.45	中	21	63.36
涞源拒马源国家城市湿地公园	1.42			
洋河	1.41			
玉泉湖省级湿地公园	1.41			
潮白河	1.41			
清凉湾省级湿地公园	1.39			
曹妃甸区近海与海岸湿地	1.39			
北戴河国家湿地公园及周边湿地	1.38			
闪电河两岸	1.36			
平山王母黑鹳觅食地自然保护小区	1.34			
青塔湖省级湿地公园	1.30			
滦南近海与海岸湿地	1.29			
乐亭近海与海岸湿地	1.29			
坝上闪电河国家湿地公园	1.29			
昌黎黄金海岸	1.28			
海兴、黄骅近海与海岸湿地	1.27			
衡水湖	1.25			
沧州南大港湿地	1.25			
冶河省级湿地公园	1.23			
海兴湿地与鸟类自然保护区	1.23			
曹妃甸湿地与鸟类自然保护区	1.23			
张家口坝上湿地	1.19	差	12	33.31
洋河河谷省级湿地公园	1.18			
滦河三角洲湿地	1.17			
滦河河口湿地	1.17			
平山冶河黑鹳觅食地自然保护小区	1.15			
康巴诺尔省级湿地公园	1.12			
清水河省级湿地公园	1.10			
滦河	1.09			
溢泉湖省级湿地公园	1.07			
永年洼省级湿地公园	0.97			
南宫群英湖省级湿地公园	0.92			
白洋淀	0.84			

其他生态状况较差的湿地，其影响因素存在较大的差异。滦河湿地受到生境破碎化、河道淤积、水体污染等多种因素的综合影响；平山冶河黑鹳觅食地自然保护小区不仅植被盖度较低，而且存在一定的环境污染；滦河河口湿地由于其特殊的地理位置，生态环境受到污染的同时，其受威胁等级也较高；滦河三角洲湿地的植被盖度较低，人工湿地面积较大，致使生态环境中自然指标的比重较小，且水体水质较差对湿地生态状况也有较大影响；张家口坝上湿地处于河北省北部高原地区，其受基建和城市化、水利设施、过度放牧等多方面的威胁，湿地综合生态状况较差。

第二节 湿地受威胁状况

从第二次湿地资源调查结果看，湿地的主要威胁因子为污染、围垦、基建占用、过度捕捞和采集、外来物种入侵五大因子。

1 湿地单独威胁因子分析

随着社会经济的快速发展，大片湿地被开发、占用，许多具有重要意义的湿地急剧萎缩，湿地的功能降低。基建和城市化是湿地受到威胁的主要因素，对湿地发挥着直接和间接的双重作用。城市化的进程不可阻挡，紧随其后的是对湿地的破坏逐步加深。河北省重点调查湿地中，其影响的范围达到了53.66%（表5-5）。污染作为威胁湿地的第二大因子，在河北省41个重点调查湿地中出现频率达到50.00%以上。围垦和泥沙淤积对湿地的威胁也越来越明显，围垦对湿地的影响范围为34.15%，泥沙淤积为26.83%。围垦直接造成湿地面积的减少，泥沙淤积直接导致了河床、库底抬高和水体污染，二者也是威胁湿地的主要因子。

过牧、沙化及其水利工程对河北省湿地的威胁也比较大，其在河北省重点调查湿地中出现频率在14%~20%之间。过度放牧直接导致湿地植被降低，降低湿地的生物多样性；土壤沙化直接改变了湿地的土壤条件，使土壤肥力下降，植物不能良好生长；二者均促使湿地的生态环境向不利的方向发展，湿地的生态功能逐渐减弱。随着社会城市化的发展，水利工程也成为威胁湿地的重要因素。在张家口坝上地区，不合理的农业灌溉水利工程，造成整个区域地下水位不断下降，湿地土壤沙化、盐碱化的危险性逐渐显现。

2 综合威胁因子

河北省多样的湿地类型形成了不同的湿地生态系统，而不同的湿地生态系统其生态过程和功能也存在一定的差异，因此受到的威胁也不同。

对于河北省的重点调查湿地而言，90%以上的湿地都受到了不同程度、不同类型的威胁（表5-6）。其中，受到1个威胁因子影响的湿地数量占重点调查湿地总数的14.63%；受到2个和3个威胁因子影响的均占29.27%；受到4个威胁因子影响的占9.76%；同时受到了5个甚至6个威胁因子共同影响的湿地包括白洋淀、滦河和张家口坝上湿地。

表 5-5 湿地威胁因子在重点调查湿地中出现的频率

威胁因子	重点调查湿地出现频率	比例(%)
基建和城市化	22	53.66
污染	21	51.22
围垦	14	34.15
泥沙淤积	11	26.83
过牧	8	19.51
沙化	7	17.07
水利工程和引排水	6	14.63
外来物种入侵	4	9.76
盐碱化	3	7.32
过度捕捞和采集	2	4.88
非法狩猎		
森林过度采伐		

表 5-6 河北省重点调查湿地受到的威胁因子数量

威胁因子数量	存在湿地频率	占湿地总数百分比(%)	累积百分比(%)
0	4	9.76	9.76
1	6	14.63	24.39
2	12	29.27	53.66
3	12	29.27	82.93
4	4	9.76	92.68
5	2	4.88	97.56
6	1	2.44	100

在河北省湿地的综合威胁因子中，不同类型的复合威胁因子对湿地的影响范围总体较小(表5-7)。根据第二次河北省湿地调查，同时受到基建和城市化与污染两个因子共同影响的湿地数量较多，共有12块，占调查总数的29.27%；其次为基建和城市化与围垦这组复合因子，占总数的21.95%；基建和城市化与泥沙淤积，基建和城市化、污染与泥沙淤积，基建和城市化、污染与围垦，这三组复合因子的影响范畴相同，均占总数的12.20%；基建和城市化、围垦与泥沙淤积，基建和城市化、污染、围垦与泥沙淤积的两组复合因子影响较小，均占4.88%；其他复合影响因子的作用范围更小(均小于5%，不再一一列出)。

表 5-7 河北省重点调查湿地受综合威胁因子的影响

综合威胁因子	因子数量	受威胁的湿地频率	占总数百分比(%)
基建和城市化+污染	2	12	29.27
基建和城市化+围垦	2	9	21.95
基建和城市化+泥沙淤积	2	5	12.20
基建和城市化+污染+泥沙淤积	3	5	12.20
基建和城市化+污染+围垦	3	5	12.20
污染+围垦+泥沙淤积	3	3	7.32
基建和城市化+围垦+泥沙淤积	3	2	4.88
基建和城市化+污染+围垦+泥沙淤积	4	2	4.88

3 综合受威胁状况等级

总体上，河北省湿地的受威胁因子的威胁状况较轻。通过第二次河北省湿地调查发现(图 5-3)，河北省重点调查湿地中，综合受威胁状况等级比重排序为重度 9.76% <安全 14.63% <中度 17.07 <轻度 58.54%，轻度威胁的比重是重度威胁的 5 倍以上，而安全的比重也大于重度威胁。

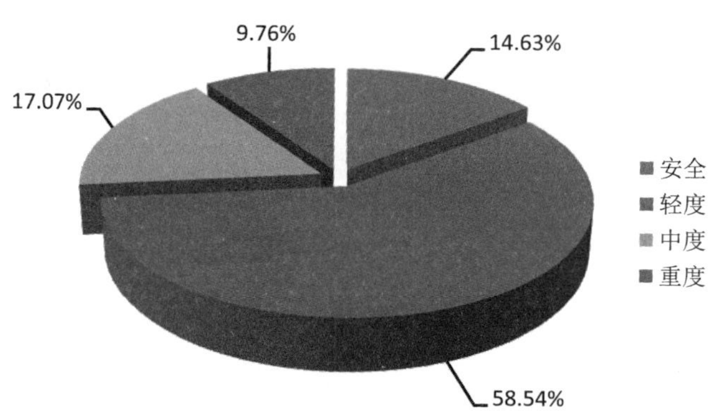

图 5-3 河北省湿地综合受威胁状况等级比重

第三节 湿地资源变化及其原因分析

1 湿地面积与类型

1.1 湿地面积减少

单从调查数据看，本次调查全省湿地总面积 94.19 万公顷，1999 年第一次调查全省湿地总面积 110.72 万公顷，湿地面积减少 16.53 万公顷。但是，第一次调查时大名泛区、永定河泛区、献县泛区、东淀、文安洼、宁晋泊、大陆泽等 7 块季节性淡水湖和洪泛平原湿地统计为湿地，面积为 33.45 万公顷，本次调查，仅有 0.75 万公顷河流统计为湿地，湿地面积减少了 32.70 万公顷。而第一次调查人工湿地仅调查库塘一个湿地型，面积 3.57 万公顷。本次调查增加了输水河、水产养殖场和盐田等 3 个湿地型，面积 24.73 万公顷，人工湿地面积增加了 21.16 万公顷。除去以上两项因素的影响，全省自然湿地面积减少 4.99 万公顷。但由于两次调查起调面积不同(此次调查起始面积是 8 公顷，第一次调查起调面积是 100 公顷)，本次调查是扩大了调查范围的，许多第一次调查未列入调查范围的湿地本次调查将其列入了，并统计在总面积当中。因此，全省自然湿地减少面积远大于 4.99 万公顷。其中，湖泊和沼泽湿地面积共减少 19.29 万公顷，近海与海岸湿地减少 4.69 万公顷，白洋淀湿地减少 1.39 万公顷，滦河三角洲湿地减少 1.42 万公顷。

1.2　原因分析

造成湿地面积减少的主要原因，除了气候变化等一些自然因素外，人类活动占用和改变湿地用途是其主要原因。其中，基建占用、围垦造田和过度放牧是导致湿地面积大幅度减少的关键因素。

1.2.1　自然因素

在 20 世纪 60 年代以前，河北省降水量丰沛，并且由于上游河流无拦蓄工程，汛期大量沥水和河流洪水下泄，使多数洼淀汛期都能蓄满水，河北省大部分湿地汛期水波浩渺的景象几乎年年出现。然而，由于 80 年代以来河北省气候连年干旱，导致湿地水位不断下降，水面面积不断缩小。据有关资料，河北省年平均降水量 20 世纪 50 年代为 579 毫米，60 年代为 562 毫米，70 年代为 541 毫米，80 年代为 502 毫米，90 年代为 520 毫米，21 世纪以来为 503 毫米(田冰等，2007)。位于张家口市坝上高原的内陆湖安固里淖原有 10 万亩水域，已存在上千年，本世纪以来，不断“缩水”，2004 年后彻底干涸。放眼望去，龟裂的湖底宛如一张饥渴的大嘴，向四周延伸，在阳光照射下，白花花的盐碱显得格外刺眼。这种气候干旱导致的区域性环境干化和水资源匮乏，是河北省湿地资源减少的主要原因之一。

1.2.2　人为因素

在国土资源土地分类中，湿地被列入未利用地。近几年，基本农田已经严禁占用，所以，基本建设占用和围垦湿地就成为“理所当然”。

白洋淀水面和沼泽湿地第一次调查面积为 3.43 万公顷，第二次调查则为 2.04 万公顷，相隔十年，湿地面积减少 1.39 万公顷，减少面积占原有湿地面积的 40.50%，减少速度惊人！其主要原因是由于缺水造成淀面水位下降，露出水面的湿地被围垦造田和基建占用。如果引水使淀面水位上升，一些被围垦的土地可以自然恢复为湿地，但被住宅、道路和其他基本建设占用的湿地则不能再恢复。

三角洲湿地第一次调查面积为 1.80 万公顷，第二次调查则为 0.38 万公顷，十年湿地面积减少 1.42 万公顷，减少面积为原有湿地面积的 79.15%。围垦和基建占用是主要人为因素。

2 湿地生物种群和数量

2.1 生物种群和数量减少退化

湿地生物种群和数量的减少退化，表现在种群结构发生着由复杂到简单、由湿生到旱生的变化。作为海兴湿地生态系统的主要建群种——芦苇，不仅面积在缩小，逐渐被香蒲群落所替代，而且生物量逐年下降；同时，曾经大面积存在的"红地毯"(碱蓬、盐地碱蓬群落)已不复存在，昔日美丽的景观只存在于记忆中。

七里海泻湖曾是渤海带鱼、小黄鱼、青鳞鱼、梭鱼、鲆鱼、铜逻鱼等经济鱼类的产卵场，在河北省海岸湿地中具有较强的典型性和代表性，然而到20世纪70年代，泻湖原有的鱼、虾、蟹自然繁殖功能基本丧失。

白洋淀的野生动植物资源物种数量呈现逐渐减少的趋势。据有关资料，1958年鱼类资源16科54种，浮游动物3门85属，浮游植物7门129属，底栖动物35种。到1975年，鱼类资源仅有12科35种，浮游动物减少12属，浮游植物减少37属；底栖动物门类组成无变化，但只有25种，减少了10种。2000年，鱼类资源又减少到11科18种(朱宣清等，1994；侯春良等，2007)。

2.2 原因分析

2.2.1 人为干扰

由于人类不合理的开发利用，使湿地遭到了严重破坏，生物的栖息地面积减小，导致生物多样性的减少。湿地的过度开发利用，不仅使湿地面积逐渐减少，还进一步导致了湿地生境的破碎化。例如，在近海与沿海湿地，渔业和盐业的发展导致水生生物的栖息地减小，生物种类下降；新能源项目的建立，不但直接占据了鸟类的栖息地，且阻断了鸟类及其他动物的迁徙通道，而产生的噪声、电磁波等对鸟类的栖息、觅食、迁徙、繁殖等都造成了有害影响；另外，一些地区工业不发达，社区及周边乡镇群众对湿地产品的过度的捕捞和采集也造成了湿地生物种量的降低。

2.2.2 气候变化

气候变化主要表现在降水量减少、气温升高等方面。而降水量的减少对湿地影响巨大。降水减少会直接影响湿地补水，导致湿地面积萎缩。伴随着湿地面积的减少，湿地动植物赖以生存的环境变差、范围缩小。另外，由于湿地保水量的减少，大量湿地植物减少乃至消失，随着湿地植物、昆虫等食物可获得性的下降，许多湿地动物随之减少或消失。20世纪80年代以来的20年间，白洋淀的野生动植物资源的急剧减少，其原因之一就是降水的不断减少，导致了多年的缺水和干淀。

2.2.3 湿地污染

工业的发展和人口的增加以及未达标的污水排放，给湿地系统造成了严重的污染，致使湿地净化水质的生态功能降低，水质下降。据有关资料，21世纪初，汇入白洋淀的3条河流(大清河、府河和潴河)均为Ⅴ类水或超Ⅴ类水，水质较差，水域污染加重，使白洋淀生物量和资源量明显减少(侯春良，2007)。虽然近年来一些相关企业进行污水处理和经唐河污水库处理，但对白洋淀仍有一定程度的污染。另外，经沿海地区每年排入渤海的污水使近海地带鱼虾繁殖场地遭受污染，海岸湿地生物大量死亡和逃逸，生物多样化程度下降。

2.2.4 生物入侵

生物入侵是引发湿地生物多样性减少的主要原因之一。在自然界长期的进化过程中，每种生物作为生态系统的一个有机组成部分，在其原产地的自然环境中处于食物链相应的位置，相互制约、相互协调，将各自的种群限制在一定的栖息环境并维持一定的数量，形成了稳定的生态系统。而外来物种往往具有生态适应能力强、繁殖能力强、传播扩散能力强等特点。因此，外来物种的侵入会破坏掉生态系统的平衡关系，严重影响当地生物多样性。例如，黄顶菊曾在衡水湖保护区大规模发生，并且在北戴河、南宫群英湖和磁县滏泉湖湿地公园中也有发现。黄顶菊具有极强的生存和繁殖能力，其根系产生的一种化感物质，会抑制其它植物生长，最终导致其它植物死亡。

3 湿地保护状况

3.1 湿地保护管理不断加强

第一次全省湿地资源调查时，河北省只有 2 个与保护湿地相关的自然保护区，即河北黄金海岸国家级自然保护区和河北滦河源草原生态系统省级自然保护区。进入 21 世纪以来，河北省开始逐步重视湿地保护工作。在管理机构方面，先后成立了“野生动植物保护处、野生动植物保护站和湿地保护管理中心”负责全省湿地资源保护管理工作。在保护体系建设方面，相继又建立了 9 个湿地自然保护区和 29 个湿地公园，构建了以自然保护区和湿地公园为主体，其他保护形式为补充的湿地保护体系。在法规支持方面，出台了《河北省湿地保护规定》，为全省湿地保护管理工作提供了基本法律依据。在宣传教育方面，各级湿地保护管理机构，利用“世界湿地日”“爱鸟周”“保护野生动物宣传月”，采用多种形式，多方面广泛宣传湿地保护知识，让人们了解湿地、认识湿地、关注湿地、靠近湿地、融入湿地。

3.2 湿地保护状况分析

河北省湿地保护工作起步较晚。但 2000 年后加大了湿地保护力度，通过加快湿地自然保护区和湿地公园建设步伐，逐步形成了较为完善的湿地保护体系。使 35.79 万公顷重要湿地资源得到有效保护，全省湿地保护率达到 38.00%。同时，公众的湿地保护与参与意识也不断增强。2014 年河北省政府颁布实施了《河北省湿地保护规定》，为全省湿地保护工作提供了法律依据，湿地保护工作正在步入健康科学的发展轨道。

第六章 湿地保护与管理

第一节 湿地保护管理现状

1 湿地保护管理体系建设

湿地保护管理是一项跨部门、跨行业、跨地区的综合性工作，需要多部门的协调与合作才能完成。按照国务院国办发〔2004〕50号文件《国务院办公厅关于加强湿地保护管理的通知》精神，河北省建立了林业部门综合协调，相关部门按照职责分工分别实施的湿地保护管理体制。1999年12月，河北省林业厅成立了野生动植物保护处，负责全省野生动植物保护管理与湿地资源保护工作。为了进一步加强湿地保护与监测管理工作，经河北省机构编制委员会办公室批准，2006年成立了河北省野生动植物保护站，具体负责全省湿地保护与管理工作。各设区市也成立了专职或兼职管理机构，负责本辖区野生动植物和湿地资源的保护管理工作。在湿地面积较大的沧州、唐山、秦皇岛市，还成立了野生动物救护中心和鸟类环志中心。全省湿地保护管理体系逐步形成，湿地保护工作顺利开展。

2 湿地自然保护区与湿地公园建设

截至2014年6月，河北省建立湿地自然保护区11个，总面积20.68万公顷(表6-1)。其中，国家级3个，面积6.64万公顷；省级8个，面积14.04万公顷。建立湿地公园29处，总面积6.19万公顷(表6-2)。其中，国家湿地公园8个，面积1.60万公顷；国家城市湿地公园2个，面积0.13万公顷；省级湿地公园19个，面积4.46万公顷。另外，建立湿地自然保护小区3个，面积0.14万公顷。湿地自然保护区、湿地公园和湿地保护小区总面积达到27.14万公顷，全省湿地保护工作迈上了一个新台阶。

3 湿地保护与恢复工程建设

在“十一五”期间，河北省扎实开展湿地保护与恢复工程建设，争取中央投资3487万元，实施了衡水湖国家级自然保护区、白洋淀省级自然保护区和南大港湿地和鸟类省级自然保护区重点湿地保护与恢复工程。“十二五”期间，河北省利用中央投资2645万元，实施了北戴河国家湿地公园、闪电河国家湿地公园、曹妃甸湿地和鸟类省级自然保护区湿地保护与恢复工程。争取财政部、环保部的江河湖泊生态环境保护项目资金7200万元，主要用于白洋淀生态修复保护、环境监管能力建设和污染治理等方面。通过实施湿地保护与恢复建设项目，区域湿地和野生动植物资源得到有效保护，湿地生态功能与生物多样性逐步得到恢复。

表6-1 河北省湿地自然保护区基本情况表

序号	名 称	所属行政区域	面积(公顷)	级别	建立时间
1	河北昌黎黄金海岸国家级自然保护区	北戴河新区	30000.00	国家级	1990年
2	河北衡水湖国家级自然保护区	衡水市	16365.00	国家级	2003年
3	河北塞罕坝国家级自然保护区	围场县	20029.00	国家级	2007年
4	河北白洋淀湿地省级自然保护区	安新县	29696.00	省级	2002年
5	河北南大港湿地和鸟类省级自然保护区	南大港管理区	13380.00	省级	2002年
6	河北御道口省级自然保护区	围场县	32620.00	省级	2002年
7	河北菩提岛诸岛自然保护区	乐亭县	4281.55	省级	2002年
8	河北海兴湿地和鸟类省级自然保护区	海兴县	16800.00	省级	2005年
9	河北曹妃甸湿地和鸟类省级自然保护区	曹妃甸区	11081.40	省级	2005年
10	宣化黄羊滩省级自然保护区	宣化县	11035.00	省级	2011年
11	河北滦河源草地生态系统省级自然保护区	丰宁县	21500.00	省级	1997年
总 计			206787.95		

表6-2 河北省湿地公园基本情况表

序号	湿地公园名称	所属行政区划	面积(公顷)	级别	建立时间
1	河北坝上闪电河国家湿地公园	沽源县	4119.90	国家级	2009年
2	河北北戴河国家湿地公园	北戴河区	306.70	国家级	2011年
3	河北永年洼国家湿地公园	永年县	3070.00	国家级	2012年
4	河北丰宁海留图国家湿地公园	丰宁县	2160.09	国家级	2012年
5	河北康保康巴诺尔国家湿地公园	康保县	368.10	国家级	2012年
6	河北尚义察汗淖尔国家湿地公园	尚义县	5400.00	国家级	2012年
7	河北崇礼清水河源国家湿地公园	崇礼县	354.60	国家级	2013年
8	河北木兰围场小滦河国家湿地公园	围场县	250.30	国家级	2013年
小 计			16029.69		
9	唐山南湖国家城市湿地公园	唐山市	699.00	国家级	2005年
10	涞源县拒马源国家城市湿地公园	涞源县	600.00	国家级	2007年
小 计			1299.00		

（续）

序号	湿地公园名称	所属行政区划	面积(公顷)	级别	建立时间
11	河北南宫群英湖省级湿地公园	南宫市	333.33	省级	2007 年
12	河北滏泉湖省级湿地公园	磁县	1860.00	省级	2009 年
13	河北清凉湾省级湿地公园	井陉矿区	240.00	省级	2009 年
14	河北冶河省级湿地公园	平山县	4576.00	省级	2009 年
15	河北青塔湖省级湿地公园	涉县	120.00	省级	2009 年
16	河北玉泉湖省级湿地公园	涉县	96.00	省级	2009 年
17	河北清水河省级湿地公园	张家口市	598.27	省级	2009 年
18	河北丰宁滦河源省级湿地公园	丰宁县	50.00	省级	2010 年
19	河北洋河河谷省级湿地公园	下花园	1200.00	省级	2010 年
20	河北沽源葫芦河省级湿地公园	沽源县	6790.47	省级	2012 年
21	河北坝上察汗淖尔省级湿地公园	尚义县	6007.00	省级	2012 年
22	河北井陉静港省级湿地公园	井陉县	373.80	省级	2013 年
23	河北香河省级湿地公园	香河县	4330.98	省级	2014 年
24	河北桑洋河省级湿地公园	涿鹿县	2626.00	省级	2014 年
25	河北白河省级湿地公园	赤城县	756.00	省级	2014 年
26	河北官厅湖省级湿地公园	怀来县	13538.85	省级	2014 年
27	河北鹊山湖省级湿地公园	内丘县	565.10	省级	2014 年
28	河北卧龙湖省级湿地公园	内丘县	132.80	省级	2014 年
29	河北赤水湾省级湿地公园	涉县	400.00	省级	2014 年
小 计			44594.60		
合 计			61923.29		

第二节 湿地保护管理建议

1 完善保护管理机构，健全综合协调机制

河北省各级自然保护区和湿地公园尽快建立和落实机构及人员配备，开展相应的管理工作。国际重要湿地和国家重要湿地分布区以及湿地资源丰富的秦皇岛、唐山、沧州、张家口、承德、保定等设区市地方政府应成立专门的湿地保护管理机构，明确其职责，配备相应管理人员，统筹湿地的保护、管理、合理利用、科研等有关事宜，形成顺畅而高效的湿地保护管理体系。

地方各级人民政府应建立和逐步完善综合协调、分部门实施的湿地保护管理体制，明确各部门的权利和义务，协调各部门的权益关系。湿地资源保护和合理利用管理涉及多个部门和行业，关系到多方的利益，部门之间目前亟须在湿地管理方面加强协调与合作。各级林业部门应做好湿地资源保护的组织、协调、指导和监督工作，各有关部门应按照职责分工，发挥各自的优势，团结协作做好相关的湿地保护管理工作。

2　加强湿地保护宣传，不断提高公众认识

河北省湿地资源保护工作起步较晚，湿地保护尚未引起社会足够的重视，许多地方对湿地仅仅停留在经济价值方面，湿地生态价值未得到完全认可。因此，必须把湿地保护宣传教育作为一项重要工作来抓。采取多种形式，广泛宣传保护湿地的重要性、必要性和紧迫性，普及湿地保护知识，提高公众的湿地保护意识，使湿地保护、恢复与科学利用步入健康轨道。

3　开展区域合作，加强部门协作

湿地资源保护与管理工作在地域间、部门间有很大的关联性与延续性。水资源是湿地的重要组成部分，也是湿地各种生物资源赖以生存的基本条件，河流、湖泊等湿地水资源的丰枯、优劣与上游湿地生态环境的保护具有很大关系。因此，应加强区域间湿地保护合作，相互借鉴湿地保护经验，共同制定湿地水资源及生物资源保护对策。湿地的保护管理和合理利用，涉及多个部门，各部门分别管理湿地生态系统内部的一个资源主体，并均有相应的法规作为行政管理的依据，部门间相互配合和紧密协作是搞好全省保护管理工作的基本保障。

4　逐步完善湿地保护相关法律法规

加强部门沟通协调，尽快出台河北省湿地保护条例，使湿地保护和合理利用有法可依；逐步建立鼓励合理利用和限制无序开发湿地资源的政策体系，探索和实施湿地生态效益补偿制度和湿地生态补水制度，继续实施国家湿地保护与恢复工程，对遭到破坏的湿地生态环境进行恢复和综合治理，有效保护和恢复湿地的生态功能。

5　建立监测体系，提高监测水平

建立河北省湿地监测体系，全面掌握全省各类湿地的动态变化，预测发展趋势，定期提供动态监测数据，为湿地保护管理、科学研究和合理利用提供及时、准确的参考资料。①建立河北省湿地监测体系。针对重点区域，定期做好湿地监测、湿地生态系统评价。将湿地监测与湿地生态工程建设有机结合起来，及时、准确地对湿地工程建设成效作出评价。各市、县以及湿地自然保护区、湿地公园成立相应的湿地监测站，及时了解本区域湿地资源现状，及时上报有关信息和数据。②建立湿地资源管理信息系统。建立集湿地资源调查、监测、灾害预测预报、信息更新于一体的信息管理和分析处理系统，并与全省林业网络系统对接，形成省、市、县、保护区、湿地公园和湿地监测站、湿地科研单位、院校等多级湿地管理网络体系。

6 开展合理利用，提高自身管理能力

湿地既可直接提供物质产品，又具有独特的自然风光和人文景观，充分发挥其文化服务功能，开展休闲、生态旅游、科教等活动是湿地保护与利用的主要方式之一。通过建立湿地公园，开展生态旅游，可增加湿地保护管理资金筹集渠道，提高湿地公园的自养能力，更好地实现湿地在保护中利用。

附录1　河北湿地调查区域植物名录

序号	科	属	种		保护等级	调查情况
			中文名	拉丁名		
一、苔藓植物						
1	地钱科	地钱属	地钱	*Marchantia polymorpha*		
2	钱苔科	浮苔属	浮苔	*Ricciocarpus natans*		
3		钱苔属	叉钱苔	*Ciccia fluitans*		
4	凤尾藓科	凤尾藓属	欧洲凤尾藓	*Fissdens osmundoides*		
5			小凤尾藓	*Fissdens bryoides*		
6	真藓科	丝瓜藓属	尖叶丝瓜藓	*Pohlia acuminata*		
7			丝瓜藓	*Pohlia cruda*		
8	葫芦藓科	立碗藓属	立碗藓	*Physcomitrium sphaericum*		
9		葫芦藓属	葫芦藓	*Funaria hygrometrica*		发现植物
10	柳叶藓科	牛角藓属	牛角藓	*Cratoneuron filicinum*		
11		水灰藓属	沼泽水灰藓	*Hygrohypnum luridum*		
12	青藓科	青藓属	皱叶青藓	*Brachythecium kuroishicum*		
13			卵叶青藓	*Brachythecium rutabulum*		
二、维管束植物						
(一)蕨类植物						
1	木贼科	木贼属	问荆	*Equisetum arvens*		发现植物
2			草问荆	*Equisetum pratense*		发现植物
3			犬问荆	*Equisetum palustre*		发现植物
4			木贼	*Equisetum hiemale*		发现植物
5			节节草	*Equisetum ramosissimum*		发现植物
6	瓶儿小草科	瓶儿小草属	狭叶瓶儿小草	*Ophioglossum thermale*	省级	
7	蕨科	蕨属	蕨	*Pteridium aquilinum* var. *latiusculum*	省级	发现植物
8	蹄盖蕨科	蛾眉蕨属	河北蛾眉蕨	*Lunathyrium vegetius*	省级	
9	铁角蕨科	铁角蕨属	河北铁角蕨	*Asplenium hebeiense*	省级	
10	金星蕨科	沼泽蕨属	沼泽蕨	*Thelypteris palustris*		
11	苹科	苹属	苹(四叶苹)	*Marsilea quadrifolia*		
12	槐叶苹科	槐叶苹属	槐叶苹	*Salvinia natans*		发现植物
13	满江红科	满江红属	满江红	*Azolla imbricata*		

（续）

序号	科	属	种		保护等级	调查情况
			中文名	拉丁名		
（二）裸子植物						
1	松科	云杉属	白杄	*Picea meyeri*	省级	发现植物
2		松属	油松	*Pinus tabuliformis*	省级	发现植物
3		落叶松属	华北落叶松	*Larix principis-rupprechtii*		
4	柏科	圆柏属	偃柏（圆柏）	*Sabina chinensis* var. *sargentii*		发现植物
5	麻黄科	麻黄属	草麻黄	*Ephedre sinica*	省级	
（三）被子植物						
1	杨柳科	杨属	梧桐杨	*Populus pseudomaximowiczii*	省级	
2			小叶杨	*Populus simonii*		发现植物
3			青杨	*Populus cathayana*		发现植物
4		柳属	金丝柳	*Salix alba* var. *tristis*		发现植物
5			垂柳	*Salix babylonica*		发现植物
6			河柳（腺柳）	*Salix chaenomeloides*		发现植物
7			密齿柳	*Salix characta*		发现植物
8			乌柳	*Salix cheilophila*		发现植物
9			杞柳	*Salix integia*		发现植物
10			筐柳	*Salix linearistipularis*		发现植物
11			旱柳	*Salix matsudana*		发现植物
12			小穗柳	*Salix microstachya*		发现植物
13			绢柳	*Salix neolapponum*		发现植物
14			五蕊柳	*Salix pentandra*		发现植物
15			北沙柳	*Salix psammophila*		发现植物
16			粉枝柳	*Salix rorida*		发现植物
17			细叶沼柳	*Salix rosmarinifolia*		发现植物
18			卷边柳	*Salix siuzevii*		发现植物
19			红皮柳	*Salix sinopurpurea*		
20			谷柳	*Salix taraikensis*		发现植物
21			三蕊柳	*Salix triandra*		
22			蒿柳	*Salix viminalis*		发现植物
23			细叶蒿柳	*Salix viminalis* var. *angustifolia*		发现植物
24			山柳	*Salix wallichiana*		
25	桦木科	桦属	油桦	*Betula ovalifolia*		发现植物
26			白桦	*Betula platyphylla*		发现植物
27	壳斗科	栎属	蒙古栎	*Quecus mongolica*		发现植物
28	桑科	大麻属	大麻	*Cannabis sativa*		发现植物

（续）

序号	科	属	种		保护等级	调查情况
			中文名	拉丁名		
29	桑科	葎草属	葎草	*Humulus scandens*		发现植物
30		桑属	桑	*Murus alba*		发现植物
31	榆科	榆属	白榆	*Ulmus pumila*		发现植物
32			中华金叶榆	*Ulmus pumila* cv. Jinye		发现植物
33	荨麻科	冷水花属	透茎冷水花	*Pilea mongolica*		
34		荨麻属	荨麻	*Urtica fissa*		发现植物
35			狭叶荨麻	*Urtica angustifolia*		发现植物
36	马兜铃科	马兜铃属	北马兜铃	*Aristolochia contorta*		
37	蓼科	荞麦属	苦荞麦	*Fagopyrum tataricum*		发现植物
38		蓼属	两栖蓼	*Polygonum amphibium*		发现植物
39			细叶蓼	*Polygonum angustifolium*		发现植物
40			扁蓄	*Polygonum aviculare*		发现植物
41			拳蓼	*Polygonum bistorta*		发现植物
42			本氏蓼	*Polygonum bungeanum*		
43			卷茎蓼	*Polygonum convolvulus*		发现植物
44			稀花蓼	*Polygonum dissitiflorum*		
45			叉分蓼	*Polygonum divaricatum*		发现植物
46			中轴蓼	*Polygonum excurrense*		发现植物
47			水蓼	*Polygonum hydropiper*		发现植物
48			酸模叶蓼	*Polyganum lapathifolium*		发现植物
49			长鬃蓼	*Polygonum longisetum*		
50			园基长鬃蓼	*Polygonum longisetum* var. *rotundatum*		
51			长戟叶蓼	*Polygonum maackianum*		
52			尼泊尔蓼	*Polygonum nepalense*		
53			红蓼	*Polygonum orientale*		发现植物
54			习见蓼	*Polygonum plebeium*		
55			杠板归	*Polygonum perfoliatum*		
56			刺蓼	*Polygonum senticosum*		
57			箭叶蓼	*Polygonim sieboldii*		发现植物
58			支柱蓼	*Polygonum suffultum*		
59			西伯利亚蓼	*Polygonum sibiricum*		发现植物
60			戟叶蓼	*Polygonum thunbergii*		
61			乌苏里蓼	*Polygonum ussuriense*		
62			珠芽蓼	*Polygonum viviparum*		
63		虎杖属	虎杖	*Reynoutria japonica*		发现植物

（续）

序号	科	属	种		保护等级	调查情况
			中文名	拉丁名		
64	蓼科	酸膜属	酸模	*Rumex acetosa*		发现植物
65			小酸模	*Rumex acetosella*		发现植物
66			阿穆尔酸模	*Rumex amurensis*		
67			皱叶酸模	*Rumex crispus*		
68			齿果酸模	*Rumex dentatus*		
69			锐齿酸模	*Rumex hadroocarpus*		
70			羊蹄	*Rumex japonicum*		
71			刺酸模	*Rumex maritimus*		
72			巴天酸模	*Rumex patientia*		发现植物
73		大黄属	华北大黄	*Rheum franzenbachii*		发现植物
74			掌叶大黄	*Rheum palmatum*		发现植物
75	藜科	沙蓬属	沙蓬	*Agriophyllum squarrosum*		发现植物
76		滨藜属	野滨藜	*Atriplex fera*		
77			滨藜	*Atriplex patens*		发现植物
78			西伯利亚滨藜	*Atriplex sibirica*		发现植物
79		轴藜属	轴藜	*Axyris amaranthoides*		发现植物
80		雾冰藜属	雾冰藜	*Bassia dasyphylla*		
81		角果藜属	角果藜	*Ceratocarpus arenarius*		发现植物
82		藜属	尖头叶藜	*Chenopodium acuminatum*		发现植物
83			狭叶尖头叶藜	*Chenopodium acuminatum* subsp. *virgatum*		发现植物
84			藜	*Chenopodium album*		发现植物
85			灰绿藜	*Chenopodium glaucum*		发现植物
86			小藜	*Chenopodium sertinum*		发现植物
87			圆头藜	*Chenopodium strictum*		发现植物
88			东亚市藜	*Chenopodium urbicum ssp. sinicum*		发现植物
89		虫实属	烛台虫实	*Corispermum candelabrum*		
90			绳虫实	*Corispermum declinatum*		
91			宽翅虫实	*Corispermum platypterum*		
92			软毛虫实	*Corispermum puberulum*		
93		地肤属	地肤	*Kochia scoparia*		
94			碱地肤	*Kochia scoparia* var. *sieversiana*		发现植物
95		盐爪爪属	盐爪爪	*Kalidium foliatum*		发现植物
96			尖叶盐爪爪	*Kalidium cuspidatum*		发现植物
97		盐角草属	盐角草	*Salicornia europaea*		发现植物
98		猪毛菜属	木本猪毛菜	*Salsola arbuscula*		发现植物

（续）

序号	科	属	种		保护等级	调查情况
			中文名	拉丁名		
99	藜科	猪毛菜属	猪毛菜	*Salsola collina*		发现植物
100			无翅猪毛菜	*Salsola komarovii*		
101			刺沙蓬	*Salsola ruthenica*		发现植物
102		碱蓬属	角碱蓬	*Suaeda corniculata*		发现植物
103			碱蓬	*Suaeda glauca*		发现植物
104			翅碱蓬	*Suaeda heteroptera*		发现植物
105			盐地碱蓬	*Suaeda salsa*		发现植物
106	苋科	莲子草属	喜旱莲子草	*Alternanthera philoxeroides*		发现植物
107		苋属	白苋	*Amaranthus albus*		发现植物
108			凹头苋	*Amaranthus ascendens*		发现植物
109			苋	*Amaranthus tricolor*		发现植物
110			反枝苋	*Amaranthus retroflexus*		发现植物
111			皱果苋	*Amaranthus viridis*		
112	马齿苋科	马齿苋属	马齿苋	*Portulaca oleracea*		发现植物
113	石竹科	卷耳属	卷耳	*Cerastium arvense*		发现植物
114			簇生卷耳	*Cerastium caespitosum*		发现植物
115		石竹属	石竹	*Dianthus chinensis*		发现植物
116			瞿麦	*Dianthus superbus*		发现植物
117		蝇子草属	女娄菜	*Silene aprica*		发现植物
118			坚硬女娄菜	*Silene firma*		
119			旱麦瓶草	*Silene jenisseensis*		发现植物
120		拟漆姑草	拟漆姑草	*Spergularia salina*		发现植物
121		繁缕属	雀舌草	*Stellaria alsine*		
122			中国繁缕	*Stellaria chinensis*		
123			禾叶繁缕	*Stellaria graminia*		
124			繁缕	*Stellaria media*		发现植物
125		鹅肠菜属	鹅肠菜	*Malachium aquaticum*		
126		丝石竹属	北方丝石竹	*Gypsophila davurica*		发现植物
127			霞草	*Gypsophila oldhamiana*		
128	睡莲科	莲属	莲	*Nelumbo mucifera*	国家Ⅱ级	发现植物
129		睡莲属	睡莲	*Nymphaea tetragona*	省级	发现植物
130		芡实属	芡实	*Euryale ferox*	省级	
131		萍蓬草属	萍蓬草	*Nuphar pumilum*	省级	发现植物
132	金鱼藻科	金鱼藻属	金鱼藻	*Ceratophyllum demersum*		发现植物
133			五刺金鱼藻	*Ceratophyllum demersum* var. *quadrispinum*		

（续）

序号	科	属	种		保护等级	调查情况
			中文名	拉丁名		
134	金鱼藻科	金鱼藻属	东北金鱼藻	*Ceratophyllum manschuricum*		
135	芍药科	芍药属	芍药	*Paeonia lactiflora*		发现植物
136	毛茛科	银莲花属	银莲花	*Anemone cathayensis*	省级	发现植物
137			长毛银莲花	*Anemone crinita*		
138		乌头属	乌头	*Aconitum carmichaeli*		发现植物
139		耧斗菜属	耧斗菜	*Aquilegia viridiflora*		发现植物
140		水毛茛属	水毛茛	*Batrachium bungei*		发现植物
141			毛柄水毛茛	*Batrachium trichophyllum*		
142		驴蹄草属	驴蹄草	*Caltha palustris*		
143			三角叶驴蹄草	*Caltha palustris* var. *sibirica*		发现植物
144		升麻属	升麻	*Cimicifuga dahurica*	省级	
145		铁线莲属	铁线莲	*Clematis florida*		发现植物
146			棉团铁线莲	*Clematis hexapetala*		发现植物
147			大叶铁线莲	*Clematis heracleifolia*		发现植物
148		翠雀属	翠雀	*Delphinium grandiflorum*		发现植物
149		水葫芦苗属	水葫芦苗	*Halerpestes cymbalaria*		发现植物
150			长叶碱毛茛	*Halerpestes ruthenica*		发现植物
151		蓝堇属	蓝堇草	*Leptopyrum fumarioides*		
152		白头翁属	细叶白头翁	*Pulsatilla turczaninovii*		
153		毛茛属	茴茴蒜	*Ranunculus chinensis*		
154			楔叶毛茛	*Ranunculus cuneifolius*		发现植物
155			毛茛	*Ranunculus japonicus*		发现植物
156			石龙芮	*Ranunculus sceleratus*		发现植物
157			猫爪草(小毛茛)	*Ranunculus ternatus*		
158		金莲花属	金莲花	*Trolium chinensis*	省级	发现植物
159		唐松草属	唐松草	*Thalictrum aquilegifolium* var. *sibiricum*		发现植物
160			卷叶唐松草	*Thalictrum foeniculaceum*		发现植物
161			瓣蕊唐松草	*Thalictrum petaloideum*		发现植物
162			箭头唐松草	*Thalictrum simplex*		发现植物
163	防己科	蝙蝠葛属	蝙蝠葛	*Menispermum dahuricmn*		发现植物
164	罂粟科	罂粟属	野罂粟	*Papaver nudicaule*	省级	发现植物
165	十字花科	芸苔属	油菜	*Brassica campestris*		发现植物
166		匙荠属	匙荠	*Bunias cochlearioides*		
167		碎米荠属	碎米荠	*Cardamine hirsuta*		
168			白花碎米荠	*Cardamine leucantha*		发现植物

（续）

序号	科	属	种		保护等级	调查情况
			中文名	拉丁名		
169	十字花科	碎米荠属	水田碎米荠	*Cardamine lyrata*		
170		荠菜属	荠菜	*Capsella bursapastoris*		发现植物
171		播娘蒿属	播娘蒿	*Descuminia sophia*		发现植物
172		花旗杆属	花旗杆	*Dontostemon dentatus*		发现植物
173			小花旗杆	*Dontostemon micranthus*		
174		糖芥属	糖芥	*Erysimum bungei*		发现植物
175			小花糖芥	*Erysimum cheiranthoides*		发现植物
176		香花芥属	雾灵香花芥	*Hesperis oreophila*	省级	发现植物
177		独行菜属	独行菜	*Lepidium apetalum*		发现植物
178			羊辣辣	*Lepidium latifolium* var. *affine*		
179		豆瓣菜属	豆瓣菜	*Nasturtium officinale*		
180		诸葛菜属	二月兰	*Orychophragmus violaceus*		
181		焯菜属	细子焯菜	*Rorippa cantoniensis*		
182			球果焯菜	*Rorippa globosa*		
183			沼生焯菜	*Rorippa islandica*		发现植物
184			焯菜	*Rorippa indica*		发现植物
185		遏兰菜属	遏兰菜	*Thlaspi arvense*		
186		盐芥属	盐芥	*Thellungiella salsuginea*		
187		蚓果芥属	蚓果芥	*Torularia humilis*		发现植物
188	景天科	瓦松属	瓦松	*Orostachys fimbriatus*		发现植物
189		红景天属	红景天	*Rhodiola rosea*	省级	发现植物
190		景天属	景天三七	*Sedum aizoon*		发现植物
191			景天	*Sedum erythrostictum*		发现植物
192			长药景天	*Sedum spectabile*		发现植物
193	虎耳草科	梅花草属	梅花草	*Parnassis palustris*		发现植物
194		扯根菜属	扯根菜	*Penthorum chinense*		
195	蔷薇科	龙芽草属	龙芽草	*Agrimonia pilosa*		发现植物
196		地蔷薇属	地蔷薇	*Chamaerhodos erecta*		发现植物
197		山楂属	山楂	*Crataegus pinnatifida*		发现植物
198		蛇莓属	蛇莓	*Duchesenea indica*		发现植物
199		蚊子草属	蚊子草	*Filipendula palmata*		发现植物
200		苹果属	苹果	*Malus pumila*		发现植物
201		水杨梅属	水杨梅	*Geum aleppicum*		发现植物
202		委陵菜属	星毛委陵菜	*Potentilla acaulis*		发现植物
203			委陵菜	*Potentilla chinensis*		发现植物

（续）

序号	科	属	种		保护等级	调查情况
			中文名	拉丁名		
204	蔷薇科	委陵菜属	钩叶委陵菜	*Potentilla ancistrifolia*		发现植物
205			鹅绒委陵菜	*Potentilla anserina*		发现植物
206			二裂委陵菜	*Potentilla bifurca*		发现植物
207			矮生二裂委陵菜	*Potentilla bifurca* var. *humilior*		发现植物
208			大萼委陵菜	*Potentilla conferta*		发现植物
209			翻白委陵菜	*Potentilla discolor*		发现植物
210			三叶委陵菜	*Potentilla freyniana*		发现植物
211			中华委陵菜	*Potentilla freyniana* var. *sinica*		发现植物
212			金露梅	*Potentilla fruticosa*		发现植物
213			多裂委陵菜	*Potentilla multifida*		发现植物
214			掌叶多裂委陵菜	*Potentilla multifida* var. *ornithopoda*		发现植物
215			沼委陵菜	*Potentilla palustris*		发现植物
216			匍匐委陵菜	*Potentilla reptans*		发现植物
217			朝天委陵菜	*Potentilla supina*		发现植物
218			密枝委陵菜	*Potentilla virgata*		发现植物
219		李属	欧李	*Prunus humili*		发现植物
220			山杏	*Prunus armeniaca*		发现植物
221			桃	*Prunus persica*		发现植物
222		蔷薇属	玫瑰	*Rosa rugosa*	省级	发现植物
223		地榆属	地榆	*Sanguisorba officinalis*		发现植物
224			长叶地榆	*Sanguisorba officinalis* var. *longifolia*		
225		花楸属	花楸	*Sorbus pohuashanensis*		发现植物
226		绣线菊属	柳叶绣线菊	*Spiraea salicifolia*	省级	发现植物
227	豆科	合萌属	田皂角	*Aeschynomene india*		
228		合欢属	合欢	*Albizia julibrissin*		发现植物
229		紫穗槐	紫穗槐	*Amorpha fruticosa*		发现植物
230		黄耆属	皱黄耆	*Astragalus tataricus*		发现植物
231			直立黄耆	*Astragalus adsurgens*		发现植物
232			百花黄耆	*Astragalus galactites*		
233		决明属	豆茶决明	*Cassia nomame*		
234		锦鸡儿属	柠条	*Caragana korshinskii*		发现植物
235		青兰属	香青兰	*Dracocephalum moldavica*		发现植物
236		米口袋属	海滨米口袋	*Gueldenstaedtia maritima*		
237			米口袋	*Gueldenstaedtia multiflora*		发现植物
238			狭叶米口袋	*Gueldenstaedtia stenophylla*		

（续）

序号	科	属	种		保护等级	调查情况
			中文名	拉丁名		
239	豆科	大豆属	野大豆	*Glycine soja*	国家Ⅱ级	发现植物
240		岩黄耆属	山岩黄耆	*Hedysarum alpinum*		发现植物
241			湿地岩黄耆	*Hedysarum inundatum*		发现植物
242		鸡眼草属	长萼鸡眼草	*Kummerowia stipulacea*		
243			鸡眼草	*Kummerowia striata*		发现植物
244		胡枝子属	兴安胡枝子	*Lespedeza davurica*		发现植物
245			多花胡枝子	*Lespedeza floribunda*		
246			尖叶铁扫帚	*Lespedeza hedysaroides*		发现植物
247			阴山胡枝子	*Lespedeza inschanica*		发现植物
248			柔毛胡枝子	*Lespedeza tomentosa*		
249		山黧豆属	海边香豌豆	*Lathyrus maritimus*		
250			山黧豆	*Lathyrus quinquenervius*		
251		苜蓿属	野苜蓿	*Medicago falcata*		
252			天蓝苜蓿	*Medicago lupuline*		发现植物
253			紫苜蓿	*Medicago sativa*		发现植物
254		扁蓿豆属	扁蓿豆	*Melissitus rutenica*		发现植物
255		草木犀属	白香草木犀	*Melilotus albus*		发现植物
256			黄香草木犀	*Melilotus officinalis*		发现植物
257		棘豆属	刺叶柄棘豆	*Oxytropis aciphylla*		
258			二色棘豆	*Oxytropis bicolor*		
259			缘毛棘豆	*Oxytropis ciliata*		发现植物
260			蓝花棘豆	*Oxytropis coerulea*		发现植物
261			小叶小花棘豆	*Oxytropis glabra* var. *tannis*		
262			瘤果棘豆	*Oxytropis microphylla*		
263			砂珍棘豆	*Oxytropis racemosa*		发现植物
264			白花棘豆	*Oxytropis subfalcata*		发现植物
265		刺槐属	刺槐	*Robinia pseudoacacia*		发现植物
266		槐属	苦豆子	*Sophora alopecuroides*		发现植物
267			苦参	*Sophora flavescens*		
268			槐树	*Sophora japonica*		发现植物
269			金叶槐	*Sophora japonica. cuchlnensis*		发现植物
270		野决明属	披针叶野决明	*Thermopsis lanceolata*		发现植物
271		车轴草属	野火球	*Trifolium lupinaster*		发现植物
272			白车轴草（白三叶）	*Trifolium repens*		发现植物
273		野豌豆属	山野豌豆	*Vicia amoena*		发现植物

（续）

序号	科	属	种		保护等级	调查情况
			中文名	拉丁名		
274	豆科	野豌豆属	广布野豌豆	*Vicia cracca*		发现植物
275			大野豌豆	*Vicia gigantea*		发现植物
276			歪头菜	*Vicia unijuga*		发现植物
277			柳叶野豌豆	*Vicia venosa*		发现植物
278	牻牛儿苗科	牻牛儿苗属	牻牛儿苗	*Erodium stephanianum*		发现植物
279		老鹳草属	毛蕊老鹳草	*Geranium platyanthum*		发现植物
280			草地老鹳草	*Geranium pratense*		发现植物
281			鼠掌老鹳草	*Geranium sibiricum*		发现植物
282			大花老鹳草	*Geranium transbaicalicum*		发现植物
283			老鹳草	*Geranium wilfordii*		发现植物
284	蒺藜科	白刺属	白刺	*Nitraria schoberi*		发现植物
285			西伯利亚白刺	*Nitraria sibirica*		
286		蒺藜属	蒺藜	*Tribulus terresteis*		发现植物
287	亚麻科	亚麻属	野亚麻	*Linum stellarioides*		发现植物
288	苦木科	臭椿属	臭椿	*Ailanthus altissima*		
289	大戟科	大戟属	地锦	*Euphorbia humifusa*		
290			泽漆	*Euphorbia helioscopia*		
291			斑地锦	*Euphorbia maculata*		
292			大戟	*Euphorbia pekinensis*		发现植物
293	凤仙花科	凤仙花属	东北凤仙	*Impatiens furcillata*		
294			水金凤	*Impatiens nolitangere*		发现植物
295	锦葵科	苘麻属	苘麻	*Abutilon theophrasti*		发现植物
296		锦葵属	北锦葵	*Malva mohileviensis*		发现植物
297		木槿属	野西瓜苗	*Hibiscus trionum*		发现植物
298	藤黄科	金丝桃属	黄海棠	*Hypericum ascyron*		发现植物
299			野金丝桃	*Hypericum attenuatum*		
300	柽柳科	水枝柏属	宽苞水枝柏	*Myricaria bracteata*		
301		柽柳属	柽柳	*Tamarix chinensis*		发现植物
302	堇菜科	堇菜属	紫花地丁	*Viola philippica*		发现植物
303	秋海棠科	秋海棠属	中华秋海棠	*Begonia sinensis*		
304	瑞香科	荛花属	河朔荛花	*Wikstroemia chamaedaphne*		发现植物
305		狼毒属	狼毒	*Stellera chamaejasme*		发现植物
306	胡颓子科	沙棘属	沙棘	*Hippophae rhamnoides*		发现植物
307	千屈菜科	水苋菜属	耳基水苋	*Ammannia arenaria*		
308			水苋菜	*Ammannia baccifera*		发现植物

（续）

序号	科	属	种		保护等级	调查情况
			中文名	拉丁名		
309	千屈菜科	水苋菜属	多花水苋	*Ammannia multiflora*		
310		千屈菜属	千屈菜	*Lythrum salicaria*		发现植物
311		节节菜属	节节菜	*Rotala indica*		
312	菱科	菱属	二角菱	*Trapa bispinosa*		发现植物
313			耳菱	*Trapa potaninii*		
314			格菱	*Trapa pseudoincisa*		
315			四角菱	*Trapa quadrispinosa*	省级	
316	柳叶菜科	露珠草属	高山露珠草	*Circaea alpina*		
317			心叶露珠草	*Circaea cordata*		
318			曲毛露珠草	*Circaea hybrida*		
319		柳叶菜属	柳兰	*Epilobium angustifolium*		发现植物
320			毛脉柳叶菜	*Epilobium amurense*		
321			光华柳叶菜	*Epilobium cephalostigma*		
322			多枝柳叶菜	*Epilobium fastigiatoramosum*		
323			柳叶菜	*Epilobium hirsutum*		发现植物
324			细子柳叶菜	*Epilobium minutiflorum*		
325			小花柳叶菜	*Epilobium parviflorum*		
326			沼生柳叶菜	*Epilobium palustre*		发现植物
327			高柱柳叶菜	*Epilobium platystigmatosum*		
328		丁香蓼属	丁香蓼	*Ludwigia prostrata*		
329	小二仙草科	狐尾藻属	穗状狐尾藻	*Myriophyllum spicatum*		发现植物
330			狐尾藻	*Myriophyllum veticillatum*		
331	杉叶藻科	杉叶藻属	杉叶藻	*Hippuris vulgaris*		发现植物
332	伞形科	当归属	白芷	*Angelica dahurica*		发现植物
333		柴胡属	北柴胡	*Bupleurum chinense*		发现植物
334			柴胡	*Bupleurum scorzonerifolium*		发现植物
335			黑柴胡	*Bupleurum smithii*		发现植物
336		葛缕子属	田葛缕子	*Carum buriaticum*		发现植物
337			葛缕子	*Carum carci*		发现植物
338		毒芹属	毒芹	*Cicuta virosa*		发现植物
339		蛇床属	兴安蛇床	*Cnidium dahuricum*		
340			蛇床	*Cnidium monnieri*		
341			碱蛇床	*Cnidium salinum*		
342		高山芹属	高山芹	*Coelopleurum saxatile*		发现植物
343		独活属	短毛独活	*Heracleum moellendorffii*		发现植物

（续）

序号	科	属	种		保护等级	调查情况
			中文名	拉丁名		
344	伞形科	珊瑚菜属	珊瑚菜	*Glehnia litoralis*	国家II级	
345		岩风属	密花岩风	*Libanotis condensata*		
346		藁本属	岩茴香	*Ligusticum tachiroei*		发现植物
347		水芹属	水芹	*Oenanthe decumbens*		发现植物
348		茴芹属	茴芹	*Pimpinella anisum*		发现植物
349		防风属	防风	*Saposhnikovia divaricata*		发现植物
350		迷果芹属	迷果芹	*Sphallerocarpus gracilis*		发现植物
351		泽芹属	泽芹	*Sium suave*		发现植物
352		窃衣属	窃衣	*Torilis scabra*		发现植物
353	鹿蹄草科	鹿蹄草属	红花鹿蹄草	*Pyrola incarnata*		发现植物
354	报春花科	海乳草属	海乳草	*Glaux maritima*		
355		报春花属	粉报春	*Primula farinosa*		
356		点地梅属	东北点地梅	*Androsace filiformis*		发现植物
357			小点地梅	*Androsace gmelinii*		
358		珍珠菜属	狼尾花	*Lysimachia barystachys*		发现植物
359			海滨珍珠菜	*Lysimachia mauritiana*		
360			黄莲花	*Lysimachia davurica*		发现植物
361			球尾花	*Lysimachia thyrsiflora*		发现植物
362	白花丹科	补血草属	黄花补血草	*Limonium aureum*	省级	
363			二色补血草	*Limonium bicolor*	省级	发现植物
364			补血草	*Limonium sinense*	省级	
365	马钱科	姬苗属	姬苗	*Mitrasacme alsinoides*		
366	龙胆科	百金花属	百金花	*Centaurium meyeri*		
367		睡菜属	睡菜	*Menyanthes trifoliata*		发现植物
368		荇菜属	金银莲花	*Nymphoides indica*		
369			荇菜	*Nymphoides peltaum*	省级	发现植物
370		扁蕾属	扁蕾	*Gentianopsis barbata*		
371		龙胆属	秦艽	*Gentiana macrophylla*	省级	发现植物
372		肋柱花属	辐状肋柱花	*Lomatogonium rotatum*		
373		獐牙菜属	岐伞獐牙菜	*Swertia dichotoma*		
374	夹竹桃科	罗布麻属	罗布麻	*Apocynum venetum*		发现植物
375	萝藦科	鹅绒藤属	合掌消	*Cynanchum amplexicaule*	省级	
376			鹅绒藤	*Cynanchum chinense*		发现植物
377			华北白前	*Cynanchum hancockianum*	省级	发现植物
378			白前	*Cynanchum glaucescens*		发现植物

（续）

序号	科	属	种		保护等级	调查情况
			中文名	拉丁名		
379	萝藦科	鹅绒藤属	地梢瓜	*Cynanchum thesioides*		发现植物
380			雀瓢	*Cynanchum thesioides* var. *australe*		
381			变色白前	*Cynanchum versicolor*		
382		萝藦属	萝藦	*Metaplexis japonica*		发现植物
383		杠柳属	杠柳	*Periploca sepium*		
384	花荵科	花荵属	花荵	*Polemonium coeruleum*		发现植物
385	旋花科	打碗花属	打碗花	*Calystegia hederacea*		发现植物
386			日本打碗花	*Calystegia japonica*		
387			藤长苗	*Calystegia pellita*		
388			肾叶打碗花	*Calystegia soldanella*		
389		旋花属	银灰旋花	*Convolvulus ammannii*		发现植物
390			田旋花	*Convolvulus arvensis*		发现植物
391		菟丝子属	菟丝子	*Cuscuta chinensis*		发现植物
392		牵牛花属	裂叶牵牛	*Pharbitis hederacea*		发现植物
393			牵牛	*Pharbitis nil*		发现植物
394			圆叶牵牛	*Pharbitis purpurea*		发现植物
395	紫草科	砂引草属	砂引草	*Messerschmidia sibirica*		发现植物
396		紫草属	紫草	*Lithospermum erythrorhizon*		发现植物
397		勿忘我属	湿地勿忘我	*Myosotis caespitosa*		发现植物
398		附地菜属	附地菜	*Trigonotis peduncularis*		发现植物
399			大花附地菜	*Trigonotis peduncularis* var. *macrantha*		发现植物
400	马鞭草科	牡荆属	单叶蔓荆	*Vitex trifolia* var. *simplicifolia*		
401			荆条	*Vitex negundo* var. *heterophylla*		发现植物
402	唇形科	筋骨草属	白苞筋骨草	*Ajuga lupulina*		发现植物
403		风轮菜属	风轮菜	*Clinopodium chinense*		发现植物
404		岩青兰属	岩青兰	*Dracocephalum rupestre*		发现植物
405		鼬瓣花属	鼬瓣花	*Galeopsis bifida*		
406		香薷属	香薷	*Herba ciliata*		发现植物
407		野芝麻属	宝盖草	*Lamium amplexicaule*		
408		地笋属	地笋	*Lycopus lucidus*		发现植物
409			毛地笋	*Lycopus lucidus* var. *hirtus*		
410		益母草属	益母草	*Leonurus artemisia*		发现植物
411			大花益母草	*Leonurus macranthus*		发现植物
412		薄荷属	薄荷	*Mentha haplocalyx*		发现植物
413		糙苏属	串铃草	*Phlomis mongolica*		发现植物

（续）

序号	科	属	种		保护等级	调查情况
			中文名	拉丁名		
414	唇形科	糙苏属	糙苏	*Phlomis umbrosa*		发现植物
415		水苏属	毛水苏	*Stachys baicalensis*		发现植物
416			小刚毛水苏	*Stachys baicalensis* var. *hispidula*		
417			华水苏	*Stachys chinensis*		
418			水苏	*Stachys japonica*		发现植物
419			沼生水苏	*Stachys palustris*		
420			甘露子	*Stachys sieboldii*		
421		黄芩属	黄芩	*Scutellaria baicalensis*	省级	发现植物
422			半枝莲	*Scutellaria barbata*		
423			大齿黄芩	*Scutellaria macrodonta*		
424			狭叶黄芩	*Scutellaria regeliana*		
425			并头黄芩	*Scutellaria scordifolia*		发现植物
426			沙滩黄芩	*Scutellaria strigillosa*		
427		荆芥属	荆芥	*Schizonepeta cataria*		发现植物
428		百里香属	百里香	*Thymus mongolicus*		发现植物
429	茄科	曼陀罗属	曼陀罗	*Datura stramonium*		发现植物
430		天仙子属	天仙子	*Hyoscyamus niger*		发现植物
431		枸杞属	枸杞	*Lycium chinense*		发现植物
432		茄属	龙葵	*Solanum nigrum*		发现植物
433	玄参科	幌菊属	幌菊	*Ellisiophyllum pinnatum*		
434		小米草属	小米草	*Euphrasia pectinata*		发现植物
435		柳穿鱼属	柳穿鱼	*Linaria vulgaris*		发现植物
436		母草属	陌上菜	*Lindernia procumbens*		发现植物
437		石龙尾属	石龙尾	*Limnophila sessiliflora*		
438		水芒草属	水芒草	*Limosella aquatica*		发现植物
439		通泉草属	通泉草	*Mazus japonicus*		
440		沟酸浆属	沟酸浆	*Mimulus tenellus*		
441		脐草属	脐草	*Omphalothrix longipes*	省级	
442		疗齿草属	疗齿草	*Odontites serotina*		发现植物
443		马先蒿属	东北马先蒿	*Pedicularis farinosa*		
444			返顾马先蒿	*Pedicularis resupinata*		发现植物
445			红色马先蒿	*Pedicularis rubens*		发现植物
446			穗花马先蒿	*Pedicularis spicata*		发现植物
447			华北马先蒿	*Pedicularis tatarinowii*		发现植物
448			秀丽马先蒿	*Pedicularis venusta*		发现植物

（续）

序号	科	属	种		保护等级	调查情况
			中文名	拉丁名		
449	玄参科	地黄属	地黄	*Rehmannia glutinosa*		发现植物
450		鼻花属	鼻花	*Rhinanthus glaber*		发现植物
451		婆婆纳属	北水苦荬	*Veronica anagallis – aquatica*		发现植物
452			大婆婆纳	*Veronica dahurica*		发现植物
453			婆婆纳	*Veronica didyma*		发现植物
454			细叶婆婆纳	*Veronica linariifolia*		发现植物
455			兔儿尾苗	*Veronica longifolia*		发现植物
456			轮叶婆婆纳	*Veronica spuria*		发现植物
457			水苦荬	*Veronica undullata*		发现植物
458	紫葳科	角蒿属	角蒿	*Inacruillea sinensis*		发现植物
459	胡麻科	茶菱属	茶菱	*Trapella sinensis*	省级	
460		胡麻属	胡麻	*Sesamum indicum*		发现植物
461	列当科	列当属	列当	*Orobanche caerulescens*		发现植物
462	狸藻科	狸藻属	狸藻	*Uticularia vulgaris*	省级	发现植物
463	车前科	车前属	车前	*Plantago asiatica*		发现植物
464			平车前	*Plantago depressa*		发现植物
465			盐生车前	*Plantago maritima* var. *salsa*		
466			大车前	*Plantago major*		发现植物
467	茜草科	猪殃殃属	猪殃殃	*Galium aparine* var. *tenerun*		发现植物
468			蓬子菜	*Galium verum*		发现植物
469		茜草属	茜草	*Rubia cordifolia*		发现植物
470	葫芦科	盒子草属	盒子草	*Actinosetmma lobatum*		
471	桔梗科	沙参属	轮叶沙参	*Adenophora tetraphylla*		发现植物
472		党参属	羊乳	*Codonopsis lanceodata*	省级	
473		风铃草属	风铃草	*Campanula medium*		发现植物
474	败酱科	败酱属	糙叶败酱	*Patribnia scabra*		发现植物
475			败酱	*Patrinia scabiosaefolia*		发现植物
476		缬草属	缬草	*Valeriana officinalis*		发现植物
477	菊科	蓍草属	亚洲蓍	*Achillea asiatica*		发现植物
478			高山蓍	*Achillea alpina*		发现植物
479		豚草属	豚草	*Ambrosia artemisiifolia*		发现植物
480		蒿属	莳萝蒿	*Artemisia anethoides*		
481			黄花蒿	*Artemisia annua*		发现植物
482			青蒿	*Artemisia apiacea*		发现植物
483			艾蒿	*Artemisia argyri*		发现植物

（续）

序号	科	属	种		保护等级	调查情况
			中文名	拉丁名		
484	菊科	蒿属	茵陈蒿	*Artemisia capillaris*		发现植物
485			米蒿	*Artemisia dalailamae*		发现植物
486			沙蒿	*Artemisia desertorum*		发现植物
487			冷蒿	*Artemisia frigida*		发现植物
488			褐沙蒿(盐蒿)	*Artemisia halodendron*		发现植物
489			柳叶蒿	*Artemisia integrifolia*		发现植物
490			野艾蒿	*Artemisia lavandulaefolia*		发现植物
491			蒙古蒿(蒙蒿)	*Artemisia mongolica*		发现植物
492			光沙蒿	*Artemisia oxycephala*		发现植物
493			黑蒿	*Artemisia palustris*		发现植物
494			柔毛蒿	*Artemisia pubescens*		发现植物
495			白莲蒿	*Artemisia sacrorum*		发现植物
496			猪毛蒿	*Artemisia scoparia*		发现植物
497			蒌蒿	*Artemisia selengensis*		发现植物
498			大籽蒿	*Artemisia sieversiana*		发现植物
499			线叶蒿	*Artemisia subulata*		发现植物
500		牛蒡属	牛蒡	*Arctium lappal*		发现植物
501		紫菀属	兴安紫菀	*Aster dahurica*		
502			女菀	*Aster fastigiatus*		发现植物
503			圆苞紫菀	*Aster maackii*		
504			紫菀	*Aster tataricus*		发现植物
505		苍术属	苍术	*Atractylodes lancea*		
506		鬼针草属	鬼针草	*Bidens bipinnata*		发现植物
507			柳叶鬼针草	*Bidens cernua*		发现植物
508			狼杷草	*Bidens tripartita*		发现植物
509		飞廉属	飞廉	*Carduus crispus*		发现植物
510		天名精属	天名精	*Carpesium abrotanoides*		发现植物
511		石胡荽属	石胡荽	*Centipeda minima*		
512		蓟属	莲座蓟	*Cirsium esculentum*		发现植物
513			大蓟	*Cirsium japonicum*		发现植物
514			烟管蓟	*Cirsium pendulum*		发现植物
515			小蓟	*Cirsium setosum*		发现植物
516		白酒草属	小飞蓬	*Conyza canadensis*		发现植物
517		秋英属	波斯菊(秋英)	*Cosmos bipinnatus*		发现植物
518		菊属	野菊	*Dendranthema indicum*		

（续）

序号	科	属	种		保护等级	调查情况
			中文名	拉丁名		
519	菊科	鳢肠属	蓝刺头	*Echinops latifolius*		发现植物
520			鳢肠	*Eclipta prostrata*		
521		毛连菜属	毛连菜	*Elephantopus mollis*		发现植物
522		飞蓬属	飞蓬	*Erigeron acer*		发现植物
523		泽兰属	林泽兰	*Eupatorium lindleyanum*		
524		鼠麴草属	鼠麴草	*Gnaphalium affine*		
525			贝加尔鼠麴草	*Gnaphalium baicalense*		
526		狗娃花属	阿尔泰狗娃花	*Heteropappus altaicus*		发现植物
527			狗娃花	*Heteropappus hispidus*		发现植物
528		向日葵属	向日葵	*Helianthus annuus*		发现植物
529			菊芋	*Helianthus tuberosus*		发现植物
530		泥胡菜属	泥胡菜	*Hemistepta lyrata*		发现植物
531		山柳菊属	粗毛山柳菊	*Hieracium virosum*		发现植物
532		旋覆花属	欧亚旋覆花	*Inula britanica*		发现植物
533			旋覆花	*Inula japonica*		发现植物
534			线叶旋覆花	*Inula lineariifolia*		
535			砂旋覆花	*Inula salsoloides*		
536			亚洲旋覆花	*Inula salicina* var. *asiatiaca*		发现植物
537		苦荬菜属	苦菜	*Ixeris chinensis*		发现植物
538			匍匐苦荬菜	*Ixeris repens*		
539			抱茎苦荬菜	*Ixeris sonchifolia*		发现植物
540		莴苣属	北山莴苣	*Lactuca sibirica*		发现植物
541			紫花山莴苣	*Lactuca tataricum*		发现植物
542			山莴苣	*Lactuca indica*		发现植物
543		火绒草属	火绒草	*Leontopodium leontopodioides*		发现植物
544			长叶火绒草	*Leontopodium longifolium*		发现植物
545		橐吾属	蹄叶橐吾	*Ligularia fischeri*		发现植物
546			狭苞橐吾	*Ligularia intermedia*		发现植物
547			全缘橐吾	*Ligularia mongolica*		发现植物
548			橐吾	*Ligularia indica*		发现植物
549		栉叶蒿属	栉叶蒿	*Neopallasia petinata*		发现植物
550		蟹甲草属	山尖子	*Parasenecio hastatus*		发现植物
551		风毛菊属	草地风毛菊	*Saussurea amara*		发现植物
552			京风毛菊	*Saussurea chinnampoensis*		发现植物
553			达乌里风毛菊	*Saussurea davurica*		发现植物
554			风毛菊	*Saussurea japonica*		发现植物

（续）

序号	科	属	种		保护等级	调查情况
			中文名	拉丁名		
555	菊科	风毛菊属	紫苞风毛菊	*saussurea iodostegia*		发现植物
556			翼茎风毛菊	*Saussurea alata*		发现植物
557			美花风毛菊	*Saussurea pulchella*		
558			银被风毛菊	*Saussurea nivea*		发现植物
559			碱地风毛菊	*Saussurea runcinata*		发现植物
560		鸦葱属	细叶鸦葱	*Scorzonera albicaulis*		发现植物
561			蒙古鸦葱	*Scorzonera mongolica*		
562		千里光属	千里光	*Senecio scandens*		发现植物
563		麻花头属	麻花头	*Serratula centauroides*		发现植物
564			多花麻花头	*Serratula polycephala*		发现植物
565		苦苣菜属	苣荬菜	*Sonchus arvensis*		发现植物
566			苦苣菜	*Sonchus oleraceus*		发现植物
567		漏芦属	鹿草	*Stemmacantha carthamoides*		
568		金腰剑属	金腰剑	*Synedrella nodiflora*		
569		山牛蒡属	山牛蒡	*Synurus deltoides*		发现植物
570		蒲公英属	蒲公英	*Taraxacum mongolicum*		发现植物
571			亚洲蒲公英	*Taraxacum leucanthum*		发现植物
572			白缘蒲公英	*Taraxacum platypecidum*		发现植物
573			华蒲公英	*Taraxacum sinicum*		
574		万寿菊属	万寿菊	*Tagetes erecta*		发现植物
575		狗舌草属	湿生狗舌草	*Tephroseris palustris*		
576		碱菀属	碱菀	*Tripolium vulgare*		
577		三肋果属	三肋果	*Tripleurospermum limosum*		
578		苍耳属	苍耳	*Xanthium sibiricum*		发现植物
579	香蒲科	香蒲属	长苞香蒲	*Typha angustata*		发现植物
580			水烛	*Typha angustifolia*		发现植物
581			宽叶香蒲	*Typha latifolia*	省级	发现植物
582			无苞香蒲	*Typha laxmannii*		发现植物
583			小香蒲	*Typha minima*		发现植物
584			香蒲	*Typha orientalia*		
585	黑三棱科	黑三棱属	小黑三棱	*Sparganium simplex*	省级	
586			黑三棱	*Sparganium stoloniferum*	省级	发现植物
587	眼子菜科	眼子菜属	菹草	*Potamogeton crispus*		发现植物
588			小叶眼子菜	*Potamogeton cristatus*		
589			眼子菜	*Potamogeton distinctus*		发现植物
590			光叶眼子菜	*Potamogeton lucens*		

（续）

序号	科	属	种		保护等级	调查情况
			中文名	拉丁名		
591	眼子菜科	眼子菜属	马来眼子菜	*Potamogeton malaianus*		发现植物
592			微齿眼子菜	*Potamogeton maackianus*		
593			浮叶眼子菜	*Potamogeton natans*	省级	发现植物
594			龙须眼子菜	*Potamogeton pectinatus*		发现植物
595			穿叶眼子菜	*Potamogeton perfoliatus*		
596			线叶眼子菜	*Potarmogeton pusillus*		发现植物
597		川蔓藻属	川蔓藻	*Ruppia rostellata*		
598		角果藻属	角果藻	*Zannichellia palustris*		发现植物
599		大叶藻属	大叶藻	*Zostera marina*		
600			矮大叶藻	*Zostera nana*		发现植物
601	茨藻科	茨藻属	大茨藻	*Najas marina*		
602			小茨藻	*Najas minor*		发现植物
603	水麦冬科	水麦冬属	海韭菜	*Triglochin maritimum*		发现植物
604			水麦冬	*Triglochin palustre*		发现植物
605	泽泻科	泽泻属	草泽泻	*Alisma gramineum*		
606			东方泽泻	*Alisma orientale*		发现植物
607			泽泻	*Alisma plantago – aquatica*		发现植物
608		慈菇属	野慈姑	*Sagittaria trifolia*		发现植物
609	花蔺科	花蔺属	花蔺	*Butomus umbellatus*		发现植物
610	水鳖科	黑藻属	黑藻	*Hydrilla verticillata*		发现植物
611		水鳖属	水鳖	*Hydrocharis asiatica*		发现植物
612		苦草属	苦草	*Vallisneria asiatica*		
613	禾本科	芨芨草属	芨芨草	*Achnatherum splendens*		发现植物
614		獐毛属	獐毛	*Aeluropus sinensis*		发现植物
615		冰草属	冰草	*Agropron cristatum*		发现植物
616		剪股颖属	巨序剪股颖	*Agrostis gigantea*		发现植物
617		看麦娘属	看麦娘	*Alopecurus aequalis*		发现植物
618			短穗看麦娘	*Alopecurus brachystachys*		
619		三芒草属	三芒草	*Aristida adscensionis*		
620		野古草属	野古草	*Arundinella hirta*		
621		荩草属	荩草	*Arthraxon Beauv*		发现植物
622		野燕麦属	野燕麦	*Avena fatua*		发现植物
623		菵草属	菵草	*Beckmannia syzigachne*		发现植物
624		雀麦属	无芒雀麦	*Bromus inermis*		发现植物
625		野牛草属	野牛草	*Buchloe dactyloides*		发现植物

（续）

序号	科	属	种		保护等级	调查情况
			中文名	拉丁名		
626	禾本科	拂子茅属	小叶樟	*Calamagrostis angustifolia*		发现植物
627			野青茅	*Calamagrostis arundinacea*		
628			拂子茅	*Calamagrostis epigejos*		发现植物
629			大拂子茅	*Calamagrostis macrolepis*		
630			假苇拂子茅	*Calamagrostis pseudophragmites*		发现植物
631		沿沟草属	沿沟草	*Catabrosa aquatica*		
632		隐子草属	糙隐子草	*Cleistogenes squarrosa*		发现植物
633		虎尾草属	虎尾草	*Chloris virgata*		发现植物
634		隐花草属	隐花草	*Crypsis aculeata*		
635		马唐属	毛马唐	*Digitaria ciliaris*		
636			马唐	*Digitaria sanguinalis*		发现植物
637		稗属	稗	*Echinochloa crusgalli*		发现植物
638			长芒稗	*Echinochloa crusgalli* var. *caudata*		
639			无芒稗	*Echinochloa crusgalli* var. *mitis*		发现植物
640		披碱草属	垂穗披碱草	*Elymus nutans*		发现植物
641			圆柱披碱草	*Elymus cylindricus*		发现植物
642			披碱草	*Elymus dahuricus*		发现植物
643			肥披碱草	*Elymus excelsus*		发现植物
644			老芒麦	*Elymus sibiricus*		发现植物
645		蟋蟀草属	蟋蟀草	*Eleusine indica*		发现植物
646		画眉草属	大画眉草	*Eragrostis cilianensis*		发现植物
647			小画眉草	*Eragrostis minor*		发现植物
648			画眉草	*Eragrostis pilosa*		发现植物
649		野黍属	野黍	*Eriochloa villosa*		发现植物
650		甜茅属	水甜茅	*Glyceria debilior*		
651		假鼠妇草属	假鼠妇草	*Glyceria leptolepis*		发现植物
652		牛鞭草属	牛鞭草	*Hemarthria altissima*		
653		茅香属	茅香	*Hierochloe odorata*		
654		大麦属	短芒大麦草	*Hordeum brevisubulatum*		发现植物
655			芒颖大麦草	*Hordeum jubatum*		发现植物
656			紫大麦草	*Hordeum violaceum*		发现植物
657		白茅属	白茅	*Imperata cylindrica*		发现植物
658		柳叶箬属	柳叶箬	*Isachne globosa*		
659		落草属	落草	*Koeleria cristata*		
660		假稻属	假稻	*Leersia japonica*		

（续）

序号	科	属	种		保护等级	调查情况
			中文名	拉丁名		
661	禾本科	赖草属	羊草	*Leymus chinensis*		发现植物
662			滨麦	*Leymus mollis*		
663			赖草	*Leymus secalinum*		发现植物
664		芒属	荻	*Miscanthus sacchariflorus*		发现植物
665			芒草	*Miscanthus sinensis*		
666		乱子草属	乱子草	*Muhlenbergir hugelii*		
667		稻属	水稻	*Oryza sativa*		
668		早熟禾属	早熟禾	*Poa annua*		发现植物
669			堇色早熟禾	*Poa ianthina*		发现植物
670			蒙古早熟禾	*Poa mongolica*		发现植物
671			草地早熟禾	*Poa pratensis*		发现植物
672			西伯利亚早熟禾	*Poa sibirica*		发现植物
673			硬质早熟禾	*Poa sphondylodes*		发现植物
674		狼尾草属	狼尾草	*Pennisetum alopecuroides*		发现植物
675			白草	*Penntsetum flaccidum*		发现植物
676		茅根属	茅根	*Perotis indica*		
677		虉草属	虉草	*Phalaris arundinacea*		
678		芦苇属	芦苇	*Phragmites australis*		发现植物
679			热河芦苇	*Phragmites jeholensis*		
680		棒头草属	棒头草	*Polypogon fugax*		发现植物
681			长芒棒头草	*Polypogon monspeliensis*		发现植物
682		碱茅属	碱茅	*Puccinellia distans*		发现植物
683			大药碱茅	*Puccinellia macranthera*		
684			微药碱茅	*Puccinellia micrandra*		
685			朝鲜碱茅	*Puccinellia tenuiflora*		发现植物
686		鹅观草属	鹅观草	*Roegnenria kamoji*		发现植物
687			百花山鹅观草	*Roegneria turczaninovii*		发现植物
688		狗尾草属	金狗尾草	*Setaria lutescens*		发现植物
689			狗尾草	*Setaria viridis*		发现植物
690			紫穗狗尾草	*Setaria viridis* var. *purpuracens*		
691		针茅属	针茅	*Stipa capillata*		发现植物
692			克氏针茅	*Stipa krylovii*		发现植物
693			贝加尔针茅	*Stipa baicalensis*		发现植物
694		大米草属	大米草	*Spartina anglica*		
695		菅属	菅草	*Themeda triandra* var. *japonica*		发现植物

（续）

序号	科	属	种		保护等级	调查情况
			中文名	拉丁名		
696	禾本科	菰属	菰	*Zizania latifolia*		发现植物
697		结缕草属	结缕草	*Zoysia japonica*		发现植物
698	莎草科	扁穗草属	华扁穗草	*Blysmus sinocompressus*		发现植物
699		球柱草属	球柱草	*Bulbostylis barbata*		
700			丝叶球柱草	*Bulbostylis densa*		
701		薹草属	灰脉薹草	*Carex appendiculata*		发现植物
702			短鳞薹草	*Carex augustinowiczii*		发现植物
703			柔薹草	*Carex bostrichostigma*		发现植物
704			寸草	*Carex duriuscula*		发现植物
705			丝柄薹草	*Carex filipes* var. *sparsinux*		发现植物
706			叉齿薹草	*Carex gotoi*		发现植物
707			华北薹草	*Carex hancockiana*		
708			异鳞薹草	*Carex heterolepis*		发现植物
709			异穗薹草	*Carex heterostachya*		
710			矮丛薹草	*Carex humilis*		发现植物
711			鸭绿薹草	*Carex jaluensis*		
712			筛草	*Carex kobomugi*		发现植物
713			尖嘴薹草	*Carex leiorhyncha*		发现植物
714			沼薹草	*Carex limosa*		发现植物
715			卵囊薹草	*Carex lithophila*		
716			翼果薹草	*Carex neurocarpa*		发现植物
717			扁秆薹草	*Carex planiculmis*		发现植物
718			矮生薹草	*Carex pumila*		
719			大穗薹草	*Carex rhynchophysa*		发现植物
720			白颖薹草	*Carex rigescens*		发现植物
721			中亚薹草	*Carex stenophylloides*		发现植物
722			陌上菅	*Carex thunbergii*		发现植物
723			针叶薹草	*Carex onoei*		发现植物
724			直穗薹草	*Carex orthostachys*		发现植物
725		莎草属	异型莎草	*Cyperus difformis*		
726			褐穗莎草	*Cyperus fuscus*		发现植物
727			头状穗莎草	*Cyperus glomeratus*		发现植物
728			旋鳞莎草	*Cyperus michelianus*		发现植物
729			具芒碎米莎草	*Cyperus microiria*		
730			白鳞莎草	*Cyperus nipponicus*		发现植物
731			三轮草	*Cyperus orthostachyus*		

（续）

序号	科	属	种		保护等级	调查情况
			中文名	拉丁名		
732	莎草科	莎草属	香附子	*Cyperus rotundus*		
733		荸荠属	中间型荸荠	*Eleocharis intersita*		发现植物
734			无刚毛荸荠	*Eleocharis kamtschatica* f. *reducta*		发现植物
735			具槽秆荸荠	*Eleocharis valleculosa*		
736			具刚毛荸荠	*Eleocharis valleculosa* f. *setosa*		发现植物
737			羽毛荸荠	*Eleocharis wichurai*		发现植物
738			牛毛毡	*Eleocharis yokoscensis*		发现植物
739		羊胡子草属	东方羊胡子草	*Eriophorum polystachion*		发现植物
740			白毛羊胡子草	*Eriophorum vaginatum*		发现植物
741		飘拂草属	复穗飘拂草	*Fimbristylis bisumbellata*		
742			两歧飘拂草	*Fimbristylis dichotoma*		
743			畦畔飘拂草	*Fimbristylis squarrosa*		
744			双穗飘拂草	*Fimbristylis subbispicata*		
745		水莎草属	花穗水莎草	*Juncellus pannonicus*		
746			水莎草	*Juncellus serotinus*		发现植物
747		水蜈蚣属	光鳞水蜈蚣	*Kyllinga brevifolia* var. *leiolepis*		
748		湖瓜草属	湖瓜草	*Lipocarpha microcephala*		
749		扁莎属	球穗扁莎	*Pycreus globosus*		
750			红鳞扁莎	*Pycreus sanguinolentus*		
751		藨草属	萤蔺	*Scirpus juncoides*		发现植物
752			东方藨草	*Scirpus orientalis*		发现植物
753			扁秆藨草	*Scirpus planiculmis*		发现植物
754			矮藨草	*Scirpus pumilus*		
755			藨草	*Scirpus triqueter*		发现植物
756			水葱	*Scirpus validus*		发现植物
757			荆三棱	*Scirpus yagara*		发现植物
758	天南星科	菖蒲属	菖蒲	*Acorus calamus*		
759	浮萍科	浮萍属	浮萍	*Lemna minor*		发现植物
760			品萍	*Lemna trisulca*		
761		紫萍属	紫萍	*Spirodela polyrrhiza*		发现植物
762	谷精草科	谷精草属	长薄谷精草	*Eriocaulon decemflorum*		
763			宽叶谷精草	*Eriocaulon robustius*		
764	鸭跖草科	鸭跖草属	鸭跖草	*Commelina communis*		发现植物
765	雨久花科	凤眼莲属	凤眼莲	*Eichhornin crassipes*		
766		雨久花属	雨久花	*Monochoria korsakowii*	省级	
767			鸭舌草	*Monochoria vaginalis*		

（续）

序号	科	属	种		保护等级	调查情况
			中文名	拉丁名		
768	灯心草科	灯心草属	小灯心草	*Juncus bufonius*		发现植物
769			灯心草	*Juncus decipiens*		发现植物
770			细灯心草	*Juncus gracillimus*		
771			小花灯心草	*Juncus lampocarpus* var. *senscens*		
772			贴苞灯心草	*Juncus triglumis*		
773			竹节灯心草	*Juncus turczaninowii*		
774	百合科	葱属	矮葱	*Allium anisopodium*		
775			硬皮葱	*Allium ledebourianum*		发现植物
776			北葱	*Allium schoenoprasum*		发现植物
777			山韭	*Allium senescens*		发现植物
778			细叶韭	*Allium tenuissimum*		发现植物
779			球序韭	*Allium thunbergii*		发现植物
780		天门冬属	天门冬	*Asparagus cochinchinensis*		发现植物
781			龙须菜	*Asparagus scoberioides*		发现植物
782		萱草属	黄花菜	*Hemerocallis citrina*		发现植物
783		重楼属	北重楼	*Paris verticillata*	省级	发现植物
784		藜芦属	藜芦	*Veratrum nigrum*		发现植物
785	薯蓣科	薯蓣属	穿山薯蓣	*Dioscorea nipponica*		发现植物
786	鸢尾科	鸢尾属	马蔺	*Iris lactea* var. *chinensis*		发现植物
787			鸢尾	*Iris tectorum*		发现植物
788	兰科	绶草属	绶草	*Spiranthes sinensis*	省级	发现植物

附录 2 河北湿地调查区域动物名录

序号	目	科	种	
			中文名	拉丁名
一、鱼　类				
1	鮟鱇目	鮟鱇科	黄鮟鱇	*Lophius litulon*
2	刺鱼目	刺鱼科	中华多刺鱼	*Pungitius sinensis*
3	海龙目	海龙科	尖海龙	*Syngnathus acus*
4			冠海马	*Hippocampus coronatus*
5			日本海马	*Hippocampus japonicus*
6	灯笼鱼目	狗母鱼科	长蛇鲻	*Saurida elongata*
7	鲽形目	鲽科	钝吻黄盖鲽	*Pseudopleuronectes yokohamae*
8			尖吻黄盖鲽	*Pseudopleuronectes herzensteini*
9			木叶鲽	*Pleuronichthys cornutus*
10			星鲽	*Verasper variegatus*
11			高眼鲽	*Cleisthenes herzensteini*
12		舌鳎科	短吻红舌鳎	*Cynoglossus joyneri*
13		鳎科	半滑舌鳎	*Cynoglossus semilaevis*
14			条鳎	*Zebrias zebra*
15		牙鲆科	牙鲆	*Paralichthy olivaceus*
16	鲱形目	鲱科	鳓鱼	*Ilisha elongata*
17			斑鰶	*Konosirus punctatus*
18			青鳞鱼	*Harengula zunasi*
19		鳀科	黄鲫	*Setipinna taty*
20			赤鼻棱鳀	*Thrissa kammalensis*
21			刀鲚	*Coilia nasus*
22			凤鲚	*Coilia mystus*
23			鳀	*Engraulis japonicus*
24			中颌棱鳀	*Thryssa mystax*
25	鲼形目	魟科	赤魟	*Dasyatis akajei*
26	鲑形目	鲑科	细鳞鲑	*Brachymystax lenok*
27			虹鳟	*Tenulosa reevesii*
28		银鱼科	安氏新银鱼	*Neosalanx anderssoni*
29			长鳍银鱼	*Salanx longianalis*
30			大银鱼	*Protosalanx hyalocranius*
31			寡齿新银鱼	*Neosalanx oligodontis*

（续）

序号	目	科	种	
			中文名	拉丁名
32	合鳃鳝目	合鳃鳝科	黄鳝	*Monopterus albus*
33	颌针鱼目	颌针鱼科	尖嘴扁颌针鱼	*Ablennes anastomella*
34		鱵科	细下鱵	*Hemirhamphus sajori*
35			鱵	*Hemirhamphus* spp.
36	鳉形目	鳉科	青鳉	*Oryzias latipes*
37	鲤形目	鲤科	花鲭	*Hemibarbus maculatus*
38			华鳈	*Sarcocheilichthys sinensis*
39			黄尾密鲴	*Xenocypris davidi*
40			山西鲅	*Phoxinus lagowskii chorensis*
41			济南颌须鮈	*Ganthopogon tsinanensis*
42			鲫鱼	*Carassius auratus*
43			尖头鲅	*Phoxinus oxycephalus*
44			宽鳍鱲	*Zacco platytus*
45			鲤鱼	*Cyprinus carpio*
46			鲢鱼	*Hypophthalmichthys molitrix*
47			洛氏鲅	*Phoxinus lagowskii*
48			马口鱼	*Opsariichthys bidens*
49			麦穗鱼	*Pseudorasbora parra*
50			蒙古红鲌	*Erythroculter mongolicus*
51			南方马口鱼	*Opsariichthys uncirostrisbidens*
52			逆鱼	*Acanthobrama simoni*
53			白河刺鳑鲏	*Acanthorhodeus peihoensis*
54			细体鮈	*Gobio tenuicorpus*
55			兴凯鱊	*Acheilognathus chankaensis*
56			须付鱊	*Paracheilognathus shibatae*
57			须鱊	*Acheilognathus barbatus*
58			银鲴	*Xenocypris argentea*
59			隐纹颌须鮈	*Ganthopogon nicholsi*
60			鳙	*Aristichthys nobilis*
61			斑条刺鳑鲏	*Acanthorhodeus taenianalis*
62			棒花鮈	*Gobio rivuloides*
63			棒花鱼	*Abbottina rivularis*
64			贝氏䱗	*Hemiculter bleekeri*
65			鳊	*Parabramis pekinensis*

（续）

序号	目	科	种	
			中文名	拉丁名
66	鲤形目	鲤科	彩副鱊	*Acheilognathus macrodorsalis*
67			彩石鲋	*Pseudoperilampus light*
68			黑尾鳘	*Hemiculter leucisculus*
69			草鱼	*Ctenopharyngodon idellus*
70			赤眼鳟	*Squaliobarbus curriculus*
71			大鳍刺鳑鲏	*Acanthorhodeus macropterus*
72			兴凯刺鳑鲏	*Acanthorhodeus ohankaensis*
73			大鳍鱊	*Acheilognathus macropterus*
74			点纹颌须鮈	*Gnathopogon wolterstorffi*
75			东北颌须鮈	*Gnathopogon mantschuricus*
76			短须刺鳑鲏	*Acanthorhodeus barbatulus*
77			多鳞铲颌鱼	*Varicorhinus macrolepis*
78			鲂	*Megalobrama terminalis*
79			鳡鱼	*Elopichthys bambusa*
80			鸽子鱼	*Coreius styani*
81			鲴鱼	*Xenocypris sechuanensis*
82			鳤鱼	*Ochetobius elongatus*
83			黑鳍唇鮈	*Chilogobio nigripinnis*
84			黑鳍鳈	*Sarcocheilichthys nigripinnis*
85			黑臀刺鳑鲏	*Acheilognathinae aleanalis*
86			红鳍鲌	*Culter erythropterus*
87			红鳍鮈	*Gobin* sp.
88			胡氏颌须鮈	*Gnathopogon wdthrstorffi*
89			翘嘴红鲌	*Erythroculter ilishaeformis*
90			青鱼	*Mylopharyngodon piceus*
91			潘氏鳅鮀	*Gobiobotia pappenheimi*
92			蛇鮈	*Saurogobio dabryi*
93			似鲚	*Toxabramis swinhonis*
94			条纹似白鮈	*Paraleucogobio strigatus*
95			铜鱼	*Coreius heterodon*
96			突吻鮈	*Rostrogobio amurensis*
97			团头鲂	*Megalobrama amblycephala*
98			瓦氏雅罗鱼	*Leuciscus waleckii*
99			长蛇鮈	*Saurogobio dumerili*
100			中华鳑鲏	*Rhodeus sinensis*

（续）

序号	目	科	种	
			中文名	拉丁名
101	鲤形目	鲤科	中华细鲫	*Aphyocypris chinensis*
102			重唇鱛	*Hemibarbus labeo*
103		鳅科	花鳅	*Cobitis taenia*
104			黄沙鳅	*Botia xanthi*
105			黄线薄鳅	*Leptobotia flavolineata*
106			吉林巴鳅	*Barbatula tonikirinensis*
107			泥鳅	*Misgurnus anguillicaudatus*
108			细鳞泥鳅	*Misgurnus mizolepis*
109			北方花鳅	*Cobitis granoei*
110			北方泥鳅	*Misgurnus biparius*
111			北方条鳅	*Noemacheilus nudus*
112			北方须鳅	*Barbatula nuda*
113			北鳅	*Lefua costata*
114			大鳞副泥鳅	*Paramisgurnus dabryanus*
115			东方薄鳅	*Leptodotia orientalis*
116			河北花鳅	*Cobitis hepeiensis*
117			河北沙鳅	*Botia hobeiensis*
118			河鳅	*Botia* sp.
119	鲈形目	鲳科	燕尾鲳	*Stromateoides nozawae*
120			银鲳鱼	*Stromateoides argenteus*
121		刺鳅科	刺鳅	*Mastacembelus aculeatus*
122			中华刺鳅	*Mastacembelus sinensis*
123		带鱼科	小带鱼	*Trichiurus muticus*
124			带鱼	*Trichiurus haumela*
125		鲷科	真鲷	*Pagrosomus major*
126		锦鳚科	云鳚	*Enedrias nebulosus*
127			方氏云鳚	*Enedrias fangi*
128		篮子鱼科	衔	*Callionymus richardsoni*
129			单鳍衔	*Callionymus mirabilis*
130			短鳍衔	*Callionymus kitaharae*
131			绯衔	*Callionymus beniteguri*
132		鳢科	乌鳢	*Channa argus*
133		丽鱼科	尼罗罗非鱼	*Oreochromic niloticus*
134		绵鳚科	绵鳚	*Zoarces elongatus*
135		鮨科	花鲈	*Lateolabrax japonicus*

（续）

序号	目	科	种	
			中文名	拉丁名
136	鲈形目	鲭科	蓝点马鲛	*Scomberomorus niphonius*
137			鲐鱼	*Pneumatophorus japonicus*
138		鲹科	沟鲹	*Atropus atropus*
139		石鲈科	黑鳍髭鲷	*Hapalogenys nigripnnis*
140		石首鱼科	黄姑鱼	*Nibea albiflora*
141			棘头梅童鱼	*Collichthys lucidus*
142			叫姑鱼	*Johnius grypotus*
143			鮸	*Miichthys miiuy*
144			白姑鱼	*Argyrosomus argentatus*
145			小黄鱼	*Pseudosciaena polyactis*
146			黑鳃梅童鱼	*Collichthys niveatus*
147		丝足鲈科	圆尾斗鱼	*Macropodus chinensis*
148		塘鳢科	黄黝鱼	*Hypseleotris swinhonis*
149		天竺鲷科	细条天竺鲷	*Apogon lineatus*
150		鱚科	多鳞鱚	*Sillago sihama*
151		鰕虎鱼科	弹涂鱼	*Periophthalmus cantonensis*
152			尖尾鰕虎鱼	*Chaeturchthys stigmatias*
153			狼牙鰕虎鱼	*Odontamblyopus rubicundus*
154			六丝矛尾鰕虎鱼	*Chaeturichthys hexanema*
155			裸鰕虎鱼	*Gymnogobius macrognathus*
156			矛尾刺鰕虎鱼	*Acanthogobius hasta*
157			普氏吻鰕虎鱼	*Rhinogobius pflaumi*
158			凹鳍孔鰕虎鱼	*Ctenotrypauchen chinensis*
159			白鳍鰕虎鱼	*Aboma lactipes*
160			刺鰕虎鱼	*Acanthogobius flavimanus*
161			带鰕虎鱼	*Eutaeniichthys gilli*
162			蝌蚪鰕虎鱼	*Lophiogobius gunther*
163			钝尖尾鰕虎鱼	*Chaeturchthys hexanema*
164			普栉鰕虎鱼	*Ctenogobius giurinus*
165			丝鰕虎鱼	*Cryptocentrus filifer*
166			纹缟鰕虎鱼	*Tridentiger trigonocephalus*
167			吻鰕虎鱼	*Rhinogobius giurimus*
168			栉孔鰕虎鱼	*Gtenotrypauchen chinensis*
169			钟馗鰕虎鱼	*Triaenopogon barbatus*
170			矛尾鰕虎鱼	*Chaerurichthys stigmatias*

（续）

序号	目	科	种	
			中文名	拉丁名
171	鲈形目	鰕虎鱼科	珠鰕虎鱼	*Acentrogobius giurinus*
172		真鲈科	大眼鳜	*Siniperca kneri*
173			鳜鱼	*Siniperca chuatsi*
174	鳗鲡目	鳗鲡科	鳗鲡	*Anguillia japomica*
175	鲇形目	鲿科	黄颡鱼	*Pelteobagrus fulvidraco*
176			鲇鱼	*Silurus asotus*
177			乌苏里鮠	*Leiocassis ussuriensis*
178			长吻鮠	*Leiocassis longirostris*
179			普通朝鲜鮠	*Coreobagrus argentivittatus*
180			瓦氏黄颡鱼	*Pelteobagrus vachelli*
181			乌苏里拟鲿	*Pseudobagrus ussuriensis*
182	鲀形目	刺鲀科	短吻三刺鲀	*Triacanthus brevirostris*
183		单角鲀科	绿鳍马面鲀	*Thamnaconus modestus*
184		鲀科	假睛东方鲀	*Takifugu pseudommus*
185			菊黄东方鲀	*Takifugu flavidus*
186			暗色东方鲀	*Takifugu obscurus*
187			星点东方鲀	*Takifugu niphobles*
188			虫纹东方鲀	*Takifugu vermicularis*
189			红鳍东方鲀	*Takifugu rubripes*
190			铅点东方鲀	*Takifugu alboplumbeus*
191			条纹东方鲀	*Takifugu xanthopterus*
192	文昌鱼目	文昌鱼科	白氏文昌鱼	*Branchiostoma belcheri*
193	鳐目	鳐科	孔鳐	*Raja porosa*
194	鲉形目	鲂鮄科	绿鳍鱼	*Chelidonichthys kumu*
195			日本红娘鱼	*Lepidotrigla japonica*
196		六线鱼科	六线鱼	*Hexagrammos otakii*
197		牛尾鱼科	鲬	*Cociella crocodiles*
198		狮子鱼科	细纹狮子鱼	*Lipanis tanakae*
199			赵氏狮子鱼	*Liparis choanus*
200		鲬科	鲬鱼	*Platycephalus indicus*
201		玉筋鱼科	玉筋鱼	*Ammodytes personatus*
202		鲉科	黑鲪	*Sebastodes fuscescens*
203	真鲨目	真鲨科	阔口真鲨	*Carcharhinus latistomus*
204			黑印真鲨	*Carcharhinus menisorrah*

（续）

序号	目	科	种	
			中文名	拉丁名
205	真鲨目	皱唇鲨科	白斑星鲨	*Mustelus manazo*
206			皱唇鲨	*Triakis scyllium*
207	脂鲤目	脂鲤科	短盖巨脂鲤	*Colossoma brachypomum*
208	鲻形目	魣科	油魣	*Sphyraena pinguis*
209		鲻科	梭鱼	*Liza haematocheila*
210			鲻鱼	*Mugil cephalus*
二、两栖动物				
1	无尾目	蟾蜍科	花背蟾蜍	*Bufo raddei*
2			中华大蟾蜍	*Bufo gargarizans*
3		姬蛙科	北方狭口蛙	*Kaloula borealis*
4		铃蟾科	东方铃蟾	*Bombina orientalis*
5		蛙科	金线蛙	*Rana japonica*
6			泽蛙	*Rana chensinensis*
7			黑斑蛙	*Rana immaculata*
8			日本林蛙	*Rana japonica*
9			中国林蛙	*Rana chensinensis*
10		雨蛙科	无斑雨蛙	*Hyla immaculata*
11			东北雨蛙	*Hyla japonica*
12	有尾目	隐鳃鲵科	大鲵	*Andrias davidianus*
三、爬行类				
1	龟鳖目	鳖科	中华鳖	*Pelodiscus sinensis*
2		龟科	乌龟	*Chinemys reevesii*
3	有鳞目	石龙子科	蓝尾石龙子	*Eumeces elegans*
4		蜥蜴科	丽斑麻蜥	*Eremias argus*
5		游蛇科	黄脊游蛇	*Coluber spinalis*
6			玉斑锦蛇	*Elaphe mandarina*
7			赤峰锦蛇	*Elaphe anomala*
8			赤链蛇	*Dinodon rufozonatum*
9			红点锦蛇	*Elaphe rufodorsata*
10			虎斑游蛇	*Natrix tigrina*
11			双斑锦蛇	*Elaphe bimaculata*
四、鸟类				
1	鴷形目	啄木鸟科	小斑啄木鸟	*Dendrocopos minor*
2			星头啄木鸟	*Dendrocopos canicapillus*
3			大斑啄木鸟	*Dendrocopos major*
4			黑枕绿啄木鸟	*Picus canus*

（续）

序号	目	科	种	
			中文名	拉丁名
5	鸊鷉目	鸊鷉科	小鸊鷉	*Tachybaptus ruficollis*
6			赤颈鸊鷉	*Podiceps grisegena*
7			凤头鸊鷉	*Podiceps cristatus*
8			黑颈鸊鷉	*Podiceps nigricollis*
9			角鸊鷉	*Podiceps auritus*
10	佛法僧目	翠鸟科	蓝翡翠	*Halcyon pileata*
11			冠鱼狗	*Ceryle lugubris*
12			普通翠鸟	*Alcedo atthis*
13		戴胜科	戴胜	*Upupa epops*
14		佛法僧科	三宝鸟	*Eurystomus orientalis*
15	鸽形目	鸠鸽科	灰斑鸠	*Streptopelia decaocto*
16			火斑鸠	*Oenopopelia tranquebarica*
17			原鸽	*Columba livia*
18			山斑鸠	*Streptopelia orientalis*
19			珠颈斑鸠	*Streptopelia chinensis*
20		沙鸡科	毛腿沙鸡	*Syrrhaptes paradoxus*
21	鹳形目	鹳科	彩鹳	*Mycteria leucocephalus*
22			白鹳	*Ciconia ciconia*
23			东方白鹳	*Ciconia boyciana*
24			黑鹳	*Ciconia nigra*
25		鹮科	白鹮	*Threskiornis aethiopicus*
26			白琵鹭	*Platalea leucorodia*
27			彩鹮	*Plegadis falcinella*
28			黑脸琵鹭	*Platalea minor*
29		鹭科	黄苇鳽	*Ixobrychus sinensis*
30			黄嘴白鹭	*Egretta eulophotes*
31			栗苇鳽	*Ixobrychus cinnamomeus*
32			绿鹭	*Butorides striatus*
33			牛背鹭	*Bubulcus ibis*
34			白鹭	*Egretta garzetta*
35			夜鹭	*Nycticorax nycticorax*
36			苍鹭	*Ardea cinerea*
37			草鹭	*Ardea purpurea*
38			池鹭	*Ardecla bacchus*
39			大白鹭	*Egretta alba*
40			大麻鳽	*Botaurus stellaris*
41			中白鹭	*Egretta intermedia*

（续）

序号	目	科	种	
			中文名	拉丁名
42	鹳形目	鹭科	紫背苇鳽	*Ixobrychus eurhythmus*
43	鹤形目	鸨科	大鸨	*Otis tarda*
44		鹤科	灰鹤	*Grus grus*
45			白鹤	*Grus leucogeranus*
46			白头鹤	*Grus monacha*
47			白枕鹤	*Grus vipio*
48			丹顶鹤	*Grus japonensis*
49			蓑羽鹤	*Anthropoides virgo*
50		三趾鹑科	黄脚三趾鹑	*Turnix tanki*
51		秧鸡科	花田鸡	*Porzana exquisita*
52			蓝胸秧鸡	*Rallus striatus*
53			白骨顶	*Fulica atra*
54			小田鸡	*Porzana pusilla*
55			白胸苦恶鸟	*Amaurornis phoenicurus*
56			斑胁田鸡	*Porzana paykullii*
57			董鸡	*Gallicrex cinerea*
58			黑水鸡	*Gallinula chloropus*
59			红胸田鸡	*Porzana fusca*
60			普通秧鸡	*Rallus aquaticus*
61	鸻形目	彩鹬科	彩鹬	*Rostratula benghalensis*
62		反嘴鹬科	鹮嘴鹬	*Ibidorhyncha struhersii*
63			反嘴鹬	*Recurvirostra avosetta*
64			黑翅长脚鹬	*Himantopus himantopus*
65		鸻科	环颈鸻	*Charadrius alexandrinus*
66			灰斑鸻	*Pluvialis spuatarola*
67			灰头麦鸡	*Vanellus cinereus*
68			剑鸻	*Charadrius hiaticula*
69			金[斑]鸻	*Pluvialis dominica*
70			金眶鸻	*Charadrius dubius*
71			蒙古沙鸻	*Charadrius mongolus*
72			东方鸻	*Charadrius veredus*
73			凤头麦鸡	*Vanellus vanellus*
74			红胸鸻	*Charadrius asiaticus*
75			铁嘴沙鸻	*Charadrius leschenaultii*
76			长嘴剑鸻	*Charadrius placidus*

（续）

序号	目	科	种	
			中文名	拉丁名
77	鸻形目	蛎鹬科	蛎鹬	*Haematopus ostralegus*
78		燕鸻科	普通燕鸻	*Glareola maldivarum*
79		鹬科	灰鹬	*Tringa incana*
80			矶鹬	*Tringa hypoleucos*
81			姬鹬	*Lymnocryptes minimus*
82			尖尾滨鹬	*Calidris acuminata*
83			阔嘴鹬	*Limicola falcinellus*
84			林鹬	*Tringa glareola*
85			流苏鹬	*Philomachus pugnax*
86			小青脚鹬	*Tringa guttifer*
87			小杓鹬	*Numenius minutus*
88			泽鹬	*Tringa stagnatilis*
89			白腰草鹬	*Tringa ochropus*
90			白腰杓鹬	*Numenius arquata*
91			斑尾塍鹬	*Limosa lapponica*
92			斑胸滨鹬	*Calidris melanotos*
93			半蹼鹬	*Limnodromus semipalmatus*
94			大滨鹬	*Calidris tenuirostris*
95			大沙锥	*Gallinago megala*
96			翻石鹬	*Arenaria interpres*
97			孤沙锥	*Gallinago solitaria*
98			红颈瓣蹼鹬	*Phalaropus lobatus*
99			黑尾塍鹬	*Limosa limosa*
100			黑腹滨鹬	*Calidris alpina*
101			红腹滨鹬	*Calidris canutus*
102			红脚鹤鹬	*Tringa erbthropus*
103			红脚鹬	*Tringa totanus*
104			红胸滨鹬	*Calidris ruficollis*
105			红腰杓鹬	*Numenius madagascariensis*
106			翘嘴鹬	*Xenus cinereus*
107			青脚鹬	*Tringa nebularia*
108			丘鹬	*Scolopax rusticola*
109			三趾滨鹬	*Crocethia alba*
110			扇尾沙锥	*Gallinago gallinago*
111			勺嘴鹬	*Eurynorhynchus pygmeus*
112			弯嘴滨鹬	*Calidris ferruginea*

（续）

序号	目	科	种	
			中文名	拉丁名
113	鸻形目	鹬科	乌脚滨鹬	*Calidris temminckii*
114			长趾滨鹬	*Calidris subminuta*
115			针尾沙锥	*Gallinago stenura*
116			中杓鹬	*Numenius phaeopus*
117		水雉科	水雉	*Hydrophasianus chirurgus*
118	鹱形目	海燕科	白腰叉尾海燕	*Oceanodroma leucorhoa*
119		鹱科	白额鹱	*Puffinus leucomelas*
120		信天翁科	黑脚信天翁	*Diomedea nigripes*
121			短尾信天翁	*Diomedea albatrus*
122	鸡形目	雉科	环颈雉	*Phasianus colchicus*
123			鹌鹑	*Coturnix coturnix*
124			斑翅山鹑	*Perdix dauuricae*
125			石鸡	*Alectoris chukar*
126	鹃形目	杜鹃科	小杜鹃	*Cuculus poliocephalus*
127			大杜鹃	*Cucolus canorus*
128			四声杜鹃	*Cucolus micropterus*
129			棕腹杜鹃	*Cucolus fugax*
130	鸥形目	鸥科	灰背鸥	*Larus schistisagus*
131			细嘴鸥	*Larus genei*
132			小鸥	*Larus minutus*
133			须浮鸥	*Chlidonias hybrida*
134			遗鸥	*Larus relictus*
135			银鸥	*Larus argentatus*
136			渔鸥	*Larus ichthyaetus*
137			北极鸥	*Larus hyperboreus*
138			海鸥	*Larus canus*
139			黑尾鸥	*Larus crassirostris*
140			黑嘴鸥	*Larus saundersi*
141			红嘴鸥	*Larus ridibundus*
142			三趾鸥	*Rissa tridactyla*
143			棕头鸥	*Larus brunnicephalus*
144		燕鸥科	鸥嘴噪鸥	*Gelchelidon nilotica*
145			白翅浮鸥	*Chlidonias leucoptera*
146			白额燕鸥	*Sterna albifrons*
147			乌燕鸥	*Sterna fuscata*

（续）

序号	目	科	种	
			中文名	拉丁名
148	鸥形目	燕鸥科	黑浮鸥	*Chlidonias niger*
149			黑枕燕鸥	*Sterna sumatrana*
150			普通燕鸥	*Sterna hirundo*
151			红嘴巨鸥	*Hydroprogne caspia*
152	潜鸟目	潜鸟科	黑喉潜鸟	*Gavia arctica*
153			红喉潜鸟	*Gavia stellata*
154	雀形目	䴓科	普通䴓	*Sitta europaea*
155			黑头䴓	*Sitta villosa*
156			红翅旋壁雀	*Tichodroma muraria*
157		八色鸫科	蓝翅八色鸫	*Pitta nympha*
158		百灵科	角百灵	*Eremophila alpestris*
159			蒙古百灵	*Melanocorypha mongolica*
160			云雀	*Alauda arvensis*
161			短趾沙百灵	*Calandrella cinerea*
162			凤头百灵	*Galerida cristata*
163		鹎科	白头鹎	*Pycnonotus sinensis*
164		伯劳科	虎纹伯劳	*Lanius tigriuus*
165			灰伯劳	*Lanius excubitor*
166			牛头伯劳	*Lanius bucephalus*
167			楔尾伯劳	*Lanius sphenocercus*
168			红尾伯劳	*Lanius cristatus*
169		鸫科	灰背鸫	*Turdus hortulorum*
170			蓝歌鸲	*Luscinia cyane*
171			蓝喉歌鸲	*Luscinia svecica*
172			蓝矶鸫	*Monticola solitarius*
173			白背矶鸫	*Monticola saxatilis*
174			白顶䳭	*Oenanthe hispanica*
175			白腹鸫	*Turdus pallidus*
176			白眉地鸫	*Zoothera sibirica*
177			斑鸫	*Turdus naumanni*
178			北红尾鸲	*Phoenicurus auroreus*
179			赤颈鸫	*Turdus ruficollis*
180			短翅鸲	*Ldodgsonius phoenicuroides*
181			歌鸫	*Turdus mupinensis*
182			黑喉石䳭	*Saxicola torquata*

（续）

序号	目	科	种	
			中文名	拉丁名
183	雀形目	鸫科	红腹红尾鸲	*Phoenicurus erythrogaster*
184			红喉歌鸲	*Luscinia calliope*
185			红尾歌鸲	*Luscinia sibilans*
186			红尾水鸲	*Rhyacornis fuliginosus*
187			红胁蓝尾鸲	*Tarsiger cyanurus*
188			虎斑地鸫	*Zoothera dauma*
189			日本歌鸲	*Luscinia akahige*
190			沙䳭	*Oenanthe isabellina*
191			穗䳭	*Oenanthe oenanthe*
192			紫啸鸫	*Myiophoneus caeruleus*
193		河乌科	褐河乌	*Cinclus pallasii*
194		画眉科	山鹛	*Rhopophilus pekinensis*
195			山噪鹛	*Garrulax davidi*
196			文须雀	*Panurus biarmicus*
197			震旦鸦雀	*Paradoxornis heudei*
198			棕头鸦雀	*Paradoxornis webbianus*
199		黄鹂科	黑枕黄鹂	*Oriolus chinensis*
200		鹡鸰科	黄鹡鸰	*Motacilla flava*
201			黄头鹡鸰	*Motacilla citreola*
202			灰鹡鸰	*Motacilla cinerea*
203			白鹡鸰	*Motacilla alba*
204			北鹨	*Anthus gustavi*
205			红喉鹨	*Anthus cervinus*
206			山鹡鸰	*pndronanthus indicus*
207			树鹨	*Anthus hodgsoni*
208			水鹨	*Anthus spinoletta*
209			田鹨	*Anthus novaeseelandiae*
210		鹪鹩科	鹪鹩	*Troglodytes troglodytes*
211		卷尾科	灰卷尾	*Dicrurus leucophaeus*
212			黑卷尾	*Dicrurus macrocercus*
213		椋鸟科	灰椋鸟	*Sturnus cineraceus*
214			北椋鸟	*Sturnus sturninus*
215		攀雀科	攀雀	*Remiz pendulinus*
216		雀科	黄喉鹀	*Emberiza elegans*
217			黄眉鹀	*Emberiza chrysophrys*

（续）

序号	目	科	种	
			中文名	拉丁名
218	雀形目	雀科	黄雀	*Carduelis spinus*
219			黄胸鹀	*Emberiza aureola*
220			灰眉岩鹀	*Emberiza cia*
221			灰头鹀	*Emberiza spodocephala*
222			极北朱顶雀	*Carduelis hornemanni*
223			金翅雀	*Carduelis sinica*
224			栗斑腹鹀	*Emberiza jankowskii*
225			栗耳鹀	*Emberiza fucata*
226			栗鹀	*Emberiza rutila*
227			芦鹀	*Emberiza schoeniclus*
228			白翅交嘴雀	*Loxia leucoptera*
229			白眉鹀	*Emberiza tristrami*
230			锡嘴雀	*Coccothraustes coccothraustes*
231			小鹀	*Emberiza pusilla*
232			燕雀	*Fringilla montifringilla*
233			白头鹀	*Emberiza leucocephala*
234			白腰朱顶雀	*Cardurlis flammea*
235			北岭雀	*Leucosticte tictearctoa*
236			北朱雀	*Carpolacus roseus*
237			黑头腊嘴雀	*Coccothraustes personata*
238			黑尾腊嘴雀	*Coccothraustes migratoria*
239			红腹灰雀	*Pyrrhula pyrrhula*
240			红交嘴雀	*Loxia curvirostra*
241			红颈苇鹀	*Emberiza yessoensis*
242			三道眉草鹀	*Emberiza cioides*
243			田鹀	*Emberiza rustica*
244			苇鹀	*Emberiza pallasi*
245			长尾雀	*Uragus sibiricus*
246			朱雀	*Carpolacus erythrinus*
247		山椒鸟科	灰山椒鸟	*Pericrocotus divaricatus*
248			暗灰鹃鵙	*Coracina melaschistos*
249		山雀科	煤山雀	*Parus ater*
250			银喉长尾山雀	*Aegithalos caudatus*
251			大山雀	*Parus majar*
252			褐头山雀	*Parus montanus*

（续）

序号	目	科	种	
			中文名	拉丁名
253	雀形目	山雀科	沼泽山雀	*Parus palustris*
254		太平鸟科	小太平鸟	*Bombycilla japonica*
255			太平鸟	*Bombycilla garrulus*
256		文鸟科	树麻雀	*Passer montanus*
257		鹟科	灰斑鹟	*Muscicapa griseisticta*
258			白腹姬鹟	*Ficedula cyanomelana*
259			白眉姬鹟	*Ficedula zanthopygia*
260			乌鹟	*Muscicapa sibirica*
261			北灰鹟	*Muscicapa latirostris*
262			太平鸟科	*Culiciciapa ceylonensis*
263			红喉姬鹟	*Ficedula parva*
264			鸲姬鹟	*Ficedula mugimaki*
265			寿带	*Terpsiphone paradisi*
266			紫寿带	*Terosiphone atrocaudate*
267		鹀科	褐头鹀	*Emberiza lruniceps*
268		绣眼鸟科	暗绿绣眼鸟	*Zosterops japonica*
269			红胁绣眼鸟	*Zosterops erythropleura*
270		旋木雀科	旋木雀	*Certhia familiaris*
271		鸦科	灰喜鹊	*Cyanopica cyana*
272			白颈鸦	*Corvus torquatus*
273			喜鹊	*Pica pica*
274			小嘴乌鸦	*Corvus corone*
275			大嘴乌鸦	*Corvus macrorhynchus*
276			寒鸦	*Corvus monedula*
277		燕科	家燕	*Hirundo rustica*
278			金腰燕	*Hirundo daurica*
279			毛脚燕	*Delichon urbica*
280			崖沙燕	*Riparia riparia*
281		莺科	黄眉柳莺	*Phylloscopus inornatus*
282			黄腰柳莺	*Phylloscopus proregulus*
283			灰脚柳莺	*Phylloscopus tenellipes*
284			极北柳莺	*Phylloscopus borealis*
285			巨嘴柳莺	*Phylloscopus schwarzi*
286			鳞头树莺	*Cettia squameiceps*
287			芦莺	*Phragamaticola aedon*

（续）

序号	目	科	种	
			中文名	拉丁名
288	雀形目	莺科	茅斑蝗莺	*Locustella lanceolata*
289			冕柳莺	*Phylloscopus coronatus*
290			暗绿柳莺	*Phylloscopus trochiloides*
291			细纹苇莺	*Acrocephalus sorghopilus*
292			小蝗莺	*Locustella certhiola*
293			斑胸短翅莺	*Bradypterus thoracicus*
294			北蝗莺	*Locustella ochotensis*
295			苍眉蝗莺	*Locustella fasciolata*
296			大苇莺	*Acrocephalus arundianceus*
297			戴菊	*Regulus regulus*
298			稻田苇莺	*Acrocephalus agricola*
299			东方大苇莺	*Acrocephalus orientalis*
300			短翅树莺	*Cettia diphone*
301			褐柳莺	*Phylloscopus fuscatus*
302			黑眉苇莺	*Acrocephalus bistrigiceps*
303	隼形目	隼科	黄爪隼	*Falco naumanni*
304			灰背隼	*Falco columbarius*
305			猎隼	*Falco cherrug*
306			矛隼	*Falco gyrfalco*
307			燕隼	*Falco subbuteo*
308			游隼	*Falco peregrinus*
309			红脚隼	*Falco vespertinus*
310			红隼	*Falco tinnunculus*
311		鹰科	虎头海雕	*Haliaeetus pelagicus*
312			灰脸鵟鹰	*Butastur indicus*
313			金雕	*Aguila chrysaetos*
314			毛脚鵟	*Buteo lagopus*
315			白腹鹞	*Circus spilonotus*
316			白肩雕	*Aquila heliaca*
317			玉带海雕	*Haliaeetus leucoryphus*
318			鸢	*Milvus korschun*
319			白头鹞	*Circus aeruuginosus*
320			白尾海雕	*Haliaeetus albicilla*
321			白尾鹞	*Circus cyaneus*
322			苍鹰	*Accipiter gentilis*

（续）

序号	目	科	种	
			中文名	拉丁名
323	隼形目	鹰科	草原雕	*Aguila rapax*
324			赤腹鹰	*Accipiter soloensis*
325			大鵟	*Buteo hemilasius*
326			鹗	*Pandion haliaetus*
327			凤头蜂鹰	*Pernis ptilorhynchus*
328			普通鵟	*Buteo buteo*
329			雀鹰	*Accipiter nisus*
330			鹊鹞	*Circus melanoleucos*
331			松雀鹰	*Accipiter virgatus*
332			乌雕	*Aguila clanga*
333	鹈形目	军舰鸟科	小军舰鸟	*Fregata minor*
334		鸬鹚科	绿鸬鹚	*Phalacrocorax capillatus*
335			[普通]鸬鹚	*Phalacrocorax carbo*
336			海鸬鹚	*Phalacrocorax pelagicus*
337		鹈鹕科	卷尾鹈鹕	*Pelecanus crispus*
338			斑嘴鹈鹕	*Pelecanus philippensis*
339	鸮形目	鸱鸮科	灰林鸮	*Strix aluco*
340			领角鸮	*Otus bakkamoena*
341			鹰鸮	*Ninox scutulata*
342			长耳鸮	*Asio otus*
343			雕鸮	*Bubo bubo*
344			短耳鸮	*Asio flamnieus*
345			红角鸮	*Otus scops*
346			纵纹腹小鸮	*Athene noctus*
347	雁形目	鸭科	花脸鸭	*Anas formosa*
348			灰雁	*Anser anser*
349			罗纹鸭	*Anas falcata*
350			绿翅鸭	*Anas crecca*
351			绿头鸭	*Anas platyrhynchos*
352			棉凫	*Nettapus coromandelianus*
353			琵嘴鸭	*Anas clypeata*
354			白额雁	*Anser albifrons*
355			白眉鸭	*Anas querquedula*
356			小白额雁	*Anser erythropus*
357			小绒鸭	*Polysticta stelleri*

（续）

序号	目	科	种	
			中文名	拉丁名
358	雁形目	鸭科	小天鹅	*Cygnus columhianus*
359			雪雁	*Anser caerulescens*
360			疣鼻天鹅	*Cygnus olor*
361			鸳鸯	*Aix galericulata*
362			白眼潜鸭	*Aythya nyroca*
363			斑背潜鸭	*Aythya marila*
364			斑脸海番鸭	*Melanitta fusca*
365			斑头秋沙鸭	*Mergus albellus*
366			斑头雁	*Anser indicus*
367			斑嘴鸭	*Anas poecilorhyncha*
368			赤颈鸭	*Anas penelope*
369			赤麻鸭	*Tadorna ferruginea*
370			赤膀鸭	*Anas strepera*
371			赤嘴潜鸭	*Netta rufina*
372			丑鸭	*Histrionicus histrionicus*
373			大天鹅	*Cygnus cygnus*
374			豆雁	*Anser fabalis*
375			凤头潜鸭	*Aythya fuligula*
376			红头潜鸭	*Aythya ferina*
377			红胸秋沙鸭	*Mergus serrator*
378			鸿雁	*Anser cygnoides*
379			普通秋沙鸭	*Mergus merganser*
380			翘鼻麻鸭	*Tadorna tadorna*
381			青头潜鸭	*Aythya baeri*
382			鹊鸭	*Bucephala clangula*
383			长尾鸭	*Clangula hyemalis*
384			针尾鸭	*Anas acuta*
385			中华秋沙鸭	*Mergus squamatus*
386	夜鹰目	夜鹰科	普通夜鹰	*Caprimulgus indicus*
387	雨燕目	雨燕科	楼燕	*Apus apus*
388			白腰雨燕	*Apus pacificus*
389			针尾雨燕	*Ladirundapus caudacutus*
五、哺乳类				
1	啮齿目	仓鼠科	大仓鼠	*Cricetulus trion*
2			短尾仓鼠	*Cricetulus eversmanni*

（续）

序号	目	科	种	
			中文名	拉丁名
3	啮齿目	仓鼠科	黑线仓鼠	*Cricetulns barabensis*
4			长尾仓鼠	*Cricetulus longicaudatus*
5			棕色田鼠	*Microtus mandarinus*
6		鼠科	小家鼠	*Mus musculus*
7			巢鼠	*Micromys minutus*
8			褐家鼠	*Rattus norvegicus*
9			黑线姬鼠	*Apodemus agrarius*
10		松鼠科	北花松鼠	*Eutamias sibiricus*
11			达乌尔黄鼠	*Citellus dauricus*
12		田鼠亚科	莫氏田鼠	*Microtus maximomiczii*
13			麝鼠	*Ondatra zibethica*
14	鳍足目	海豹科	西太平洋斑海豹	*Phoca largha*
15	食虫目	鼩鼱科	喜马拉雅水麝鼩	*Chimarrogale himalayica*
16			小麝鼩	*Crocidura suaveolens*
17		猬科	刺猬	*Erinaceus europaeus*
18			达乌尔猬	*Hemiechinus dauricus*
19	食肉目	犬科	貉	*Nyctereutes procyonoides*
20			赤狐	*Vulpes vulpes*
21		鼬科	黄鼬	*Mustela sibirica*
22			艾鼬	*Mustela eversmanni*
23			香鼬	*Mustela altaica*
24			白鼬	*Mustela erminea*
25			狗獾	*Meles meles*
26			青鼬	*Martes flavigula*
27			石貂	*Martes foina*
28			猪獾	*Arctonyx collaris*
29	兔形目	兔科	草兔	*Lepus capensis*

附录3　河北重点调查湿地概况

1. 衡水湖湿地

衡水湖重点调查湿地范围面积1.88万公顷，湿地面积为0.67万公顷，主要湿地类型为淡水湖泊湿地和沼泽湿地。地理坐标为东经115°27′50″～115°41′55″，北纬37°31′40″～37°41′56″；位于河北省衡水市桃城区与冀州市交界处。

调查发现湿地高等植物1门16科18属19种。国家重点保护野生植物1种，即国家Ⅱ级保护野生植物野大豆。记录到外来植物物种1科1属1种，即黄顶菊。

湿地植被划分为3个植被型组，7个植被型，12个群系。

脊椎动物5纲33目79科375种。其中，鱼类8目14科34种，两栖类1目3科6种，爬行类2目5科11种，鸟类17目47科304种，哺乳类5目10科20种。

国家重点保护野生动物52种。其中，国家Ⅰ级保护野生动物6种，国家Ⅱ级保护野生动物46种。在国家重点保护野生动物中，湿地鸟类52种，其中国家Ⅰ级保护鸟类6种，国家Ⅱ级保护鸟类46种。尚未发现外来动物物种。

于2000年建立省级自然保护区，2003年晋升为国家级自然保护区，受林业部门管理，成立了衡水湖国家级自然保护区管委会。

受威胁因子主要包括：①基建和城市化等不合理的人类活动；②泥沙淤积；③水质污染、水体富营养化；④外来物种入侵。综合受威胁状况等级为轻度。

2. 白洋淀湿地

白洋淀重点调查湿地范围面积2.97万公顷，湿地面积2.03万公顷，主要湿地类型为沼泽湿地和河流湿地。地理坐标为东经115°38′～116°07′，北纬38°43′～39°02′；位于安新县、任丘市、雄县、容城县和高阳县交界处，主要淀区位于安新县境内。

调查发现湿地高等植物2门27科32属34种。国家重点保护野生植物2种，为国家Ⅱ级保护野生植物野大豆、莲两种。尚未发现外来植物物种。

湿地植被划分为2个植被型组，6个植被型，15个群系。

脊椎动物5纲34目76科280种。其中，鱼类10目16科54种，两栖类1目2科3种，爬行类2目4科11种，鸟类16目46科198种，哺乳类5目8科14种。

国家重点保护野生动物30种。其中，国家Ⅰ级保护野生动物4种，国家Ⅱ级保护野生动物26种。在国家重点保护野生动物中，湿地鸟类30种，其中国家Ⅰ级保护鸟类4种，国家Ⅱ级保护鸟类26种。湿地范围有巴西龟野外放生现象。

于2002年建立省级自然保护区，受林业部门管理，成立了白洋淀湿地保护区管理处。

受威胁因子主要包括：①基建和城市化；②湿地围垦；③泥沙淤积；④生活污水排放、水质污染；⑤过度捕捞。湿地受威胁等级为重度。

3. 沧州南大港湿地

南大港重点调查湿地范围面积1.34万公顷，湿地面积为0.70万公顷，主要湿地类型为沼泽湿地和人工湿地。地理坐标为东经117°19′57″~117°37′06″，北纬38°23′34″~38°34′03″；位于河北省沧州市东北部的南大港管理区。

调查发现湿地高等植物1门10科14属16种。国家重点保护野生植物1种，为国家Ⅱ级保护野生植物野大豆。尚未发现外来植物物种。

湿地植被划分为2个植被型组，3个植被型，7个群系。

脊椎动物5纲35目69科306种。其中，鱼类9目12科27种，两栖类2目2科2种，爬行类2目2科6种，鸟类17目45科259种，哺乳类5目8科12种。

国家重点保护野生动物47种。其中，国家Ⅰ级保护野生动物8种，国家Ⅱ级保护野生动物39种。在国家重点保护野生动物中，湿地鸟类47种，其中国家Ⅰ级保护鸟类8种，国家Ⅱ级保护鸟类39种。尚未发现外来动物物种。

于2002年建立省级自然保护区，由林业部门管理，成立了南大港湿地和鸟类省级自然保护区管理处。

受威胁因子主要包括：①拦蓄工程建设；②城镇和工业发展；③湿地水质污染；④泥沙淤积。受威胁等级为轻度。

4. 昌黎黄金海岸湿地

昌黎黄金海岸重点调查湿地范围面积3.00万公顷，湿地面积2.49万公顷，主要湿地类型为近海与海岸湿地和人工湿地。地理坐标为东经119°11′~119°37′，北纬39°27′~39°41′；位于河北省秦皇岛市昌黎县。

调查发现湿地高等植物2门11科25属30种。国家重点保护野生植物1种，为国家Ⅱ级保护野生植物野大豆。尚未发现外来植物物种。

湿地植被划分为3个植被型组，5个植被型，13个群系。

脊椎动物5纲45目118科498种。其中，鱼类17目42科94种，两栖类1目2科4种，爬行类3目4科7种，鸟类19目62科380种，哺乳类5目8科13种。

国家重点保护野生动物65种。其中，国家Ⅰ级保护野生动物13种，国家Ⅱ级保护野生动物52种。在国家重点保护野生动物中，湿地鸟类65种，其中国家Ⅰ级保护鸟类13种，国家Ⅱ级保护鸟类52种。尚未发现外来动物物种。

于1990年建立黄金海岸国家级自然保护区，由海洋部门管理，成立了昌黎黄金海岸国家级自然保护区管理处。

主要受基建和城市化的影响。受威胁状况等级为轻度。

5. 北戴河沿海湿地

北戴河沿海重点调查湿地范围面积0.37万公顷，湿地面积0.37万公顷，主要湿地类型为浅海水域湿地和沙石海滩湿地。地理坐标为东经119°26′24″~119°31′55″，北纬39°47′53″~39°50′06″；位于秦皇岛市北戴河区。

湿地植物很少。尚未发现外来植物物种。没有形成完整的植物群系。

脊椎动物5纲34目75科277种。其中，鱼类8目18科35种，两栖类1目2科4种，爬行类3目3科7种，鸟类17目47科223种，哺乳类5目5科7种。

国家重点保护野生动物37种。其中，国家Ⅰ级保护野生动物6种，国家Ⅱ级保护野生动物31种。在国家重点保护野生动物中，湿地鸟类37种，其中国家Ⅰ级保护鸟类6种，国家Ⅱ级保护鸟类31种。尚未发现外来动物物种。

于2010年建立北戴河国家湿地公园。受林业、国土、农业、城建部门管理，成立了北戴河国家级湿地公园管理处。

主要受城市化建设、污染、围垦和泥沙淤积的影响。综合受威胁状况等级为中度。

6. 滦河河口湿地

滦河河口重点调查湿地范围面积0.11万公顷，湿地面积0.11万公顷，主要湿地类型为近海与海岸湿地。地理坐标为东经119°13′12″～119°20′24″，北纬39°24′29″～39°27′11″；位于秦皇岛市昌黎县东南部和唐山市乐亭县东北部。

调查发现湿地高等植物1门2科4属5种。国家重点保护野生植物1种，为国家Ⅱ级保护野生植物野大豆。尚未发现外来植物物种。

湿地植被划分为2个植被型组，2个植被型，2个群系。

脊椎动物3纲26目60科277种。其中，鱼类8目18科35种，两栖类1目2科3种，鸟类17目42科239种。

国家重点保护野生动物39种。其中，国家Ⅰ级保护野生动物7种，国家Ⅱ级保护野生动物32种。在国家重点保护野生动物中，湿地鸟类39种，其中国家Ⅰ级保护鸟类7种，国家Ⅱ级保护鸟类32种。尚未发现外来动物物种。

已制订相关规划，进行全面保护。由林业、国土、农业、城建部门管理。

主要受污染和泥沙淤积威胁。综合受威胁状况等级为重度。

7. 张家口坝上湿地

张家口坝上重点调查湿地范围面积100.00万公顷，湿地面积16.33万公顷，主要湿地类型为河流湿地、湖泊湿地、沼泽湿地和人工湿地，湖泊湿地分为永久性淡水湖、永久性咸水湖和季节性咸水湖。地理坐标为东经113°51′47″～116°01′48″，北纬40°56′56″～42°08′53″；位于张家口坝上高原，涉及康保、沽源、张北和尚义4个县。

调查发现湿地高等植物3门47科153属273种。湿地范围没有国家重点保护野生植物。尚未发现外来植物物种。

湿地植被划分为5个植被型组，9个植被型，163个群系。

脊椎动物5纲30目71科245种。其中，鱼类6目8科32种，两栖类1目3科4种，爬行类1目4科8种，鸟类16目45科173种，哺乳类6目11科28种。

国家重点保护野生动物38种。其中，国家Ⅰ级保护野生动物4种，国家Ⅱ级保护野生动物34种。在国家重点保护野生动物中，湿地鸟类38种，其中国家Ⅰ级保护鸟类4种，国家Ⅱ级保护鸟类34种。尚未发现外来动物物种。

于2009年建立河北坝上闪电河国家湿地公园(试点)，成立了河北坝上闪电河国家湿地公园管理处，由林业部门管理。于2012年建立康巴诺尔国家级湿地公园，成立了康巴诺尔国家级湿地公园管理处，由林业部门管理。

受威胁因子主要包括：①水利设施；②过度放牧；③围垦；④盐碱化和沙化；⑤基建和城市化。湿地受威胁等级为中度。

8. 河北塞罕坝国家级自然保护区湿地

河北塞罕坝国家级自然保护区重点调查湿地范围面积2.00万公顷，湿地面积0.59万公顷，主要湿地类型为河流湿地和沼泽湿地。地理坐标为东经117°16′~117°35′，北纬42°23′~42°47′；位于围场满族蒙古族自治县北部。

调查发现湿地高等植物4门36科84属140种。国家重点保护野生植物1种，为国家Ⅱ级保护野生植物野大豆。尚未发现外来植物物种。

湿地植被划分为5个植被型组，8个植被型，54个群系。

脊椎动物5纲29目72科293种。其中，鱼类5目6科32种，两栖类1目3科4种，爬行类1目3科4种，鸟类17目48科227种，哺乳类5目12科26种。

国家重点保护野生动物47种。其中，国家Ⅰ级保护野生动物5种，国家Ⅱ级保护野生动物42种。在国家重点保护野生动物中，湿地鸟类39种，其中国家Ⅰ级保护鸟类4种，国家Ⅱ级保护鸟类35种。尚未发现外来动物物种。

于2002年建立省级自然保护区，2007年晋升为国家级自然保护区，由林业部门管理，成立了河北塞罕坝国家级自然保护区管理局。

主要受沙化和城市化影响。综合受威胁状况等级为轻度。

9. 河北滦河上游国家级自然保护区湿地

河北滦河上游国家级自然保护区重点调查湿地面积5.07万公顷，湿地面积0.03万公顷，主要湿地类型为河流湿地和沼泽湿地。地理坐标为东经116°51′~117°45′，北纬41°47′~42°06′；位于围场满族蒙古族自治县。

调查发现湿地高等植物2门24科54属64种。国家重点保护野生植物1种，为国家Ⅱ级保护野生植物野大豆。尚未发现外来植物物种。

湿地植被划分为2个植被型组，4个植被型，14个群系。

脊椎动物5纲28目77科314种。其中，鱼类4目5科23种，两栖类1目3科5种，爬行类1目5科15种，鸟类16目50科228种，哺乳类6目14科43种。

国家重点保护野生动物43种。其中，国家Ⅰ级保护野生动物5种，国家Ⅱ级保护野生动物38种。在国家重点保护野生动物中，湿地鸟类37种，其中国家Ⅰ级保护鸟类4种，国家Ⅱ级保护鸟类33种。尚未发现外来动物物种。

于2002年建立省级自然保护区，2008年晋升为国家级自然保护区，由林业部门管理，成立了河北滦河上游国家级自然保护区管理局。

受人类活动威胁较少。受威胁状况等级为安全。

10. 河北御道口省级自然保护区湿地

河北御道口省级自然保护区重点调查湿地范围面积3.26万公顷，湿地面积0.84万公顷，主要湿地类型为河流湿地、湖泊湿地、沼泽湿地和人工湿地。地理坐标为东经116°46′30″～117°27′28″，北纬42°05′58″～42°25′02″；位于承德市围场满族蒙古族自治县。

调查发现湿地高等植物2门37科91属137种。保护区没有国家重点保护野生植物。尚未发现外来植物物种。

湿地植被划分为3个植被型组，7个植被型，43个群系。

脊椎动物5纲26目64科203种。其中，鱼类3目4科7种，两栖类1目3科4种，爬行类1目3科10种，鸟类15目40科154种，哺乳类6目14科28种。

国家重点保护野生动物35种。其中，国家Ⅰ级保护野生动物4种，国家Ⅱ级保护野生动物31种。在国家重点保护野生动物中，湿地鸟类29种，其中国家Ⅰ级保护鸟类3种，国家Ⅱ级保护鸟类26种。尚未发现外来动物物种。

于2002年建立省级自然保护区，由承德市政府管理，由河北省御道口牧场代管。

主要受过度放牧、沙化和城市化方面的影响。综合受威胁状况等级为轻度。

11. 河北辽河源省级自然保护区湿地

河北辽河源省级自然保护区重点调查湿地范围面积2.26万公顷，湿地面积98.81公顷，主要湿地类型为河流湿地和沼泽湿地。地理坐标为东经118°20′～118°53′，北纬40°41′～41°21′；位于承德市平泉县。

调查发现湿地高等植物2门22科36属36种。保护区没有国家重点保护野生植物。尚未发现外来植物物种。

湿地植被划分为2个植被型组，4个植被型，6个群系。

脊椎动物5纲29目74科260种。其中，鱼类3目4科18种，两栖类1目2科4种，爬行类2目6科15种，鸟类17目49科193种，哺乳类6目13科30种。

国家重点保护野生动物33种。其中，国家Ⅰ级保护野生动物3种，国家Ⅱ级保护野生动物30种。在国家重点保护野生动物中，湿地鸟类31种，其中国家Ⅰ级保护鸟类2种，国家Ⅱ级保护鸟类29种。尚未发现外来动物物种。

于2004年建立省级自然保护区，由林业部门管理，成立了河北辽河源省级自然保护区管理处。

保护区受人类活动影响很少。综合受威胁状况等级为安全。

12. 河北曹妃甸湿地和鸟类省级自然保护区湿地

河北曹妃甸湿地和鸟类自然保护区重点调查湿地范围面积1.11万公顷，湿地面积1.02万公顷，主要湿地类型为河流湿地、沼泽湿地和人工湿地。地理坐标为东经118°15′42″～118°23′24″，北纬39°9′24″～39°14′28″；位于唐山市曹妃甸区。

调查发现湿地高等植物1门10科16属17种。国家重点保护野生植物1种，为国家Ⅱ级保护野生植物野大豆。尚未发现外来植物物种。

湿地植被划分为3个植被型组，3个植被型，4个群系。

脊椎动物5纲44目121科455种。其中，鱼类18目57科124种，两栖类1目2科2种，爬行类2目2科5种，鸟类17目49科307种，哺乳类6目11科17种。

国家重点保护野生动物50种。其中，国家Ⅰ级保护野生动物9种，国家Ⅱ级保护野生动物41种。在国家重点保护野生动物中，湿地鸟类50种，其中国家Ⅰ级保护鸟类9种，国家Ⅱ级保护鸟类41种。尚未发现外来动物物种。

于2005年建立省级自然保护区，由林业部门管理，成立了河北曹妃甸湿地和鸟类自然保护区管理处。

主要受基建和城市化的威胁。受威胁等级为轻度。

13. 河北菩提岛诸岛省级自然保护区湿地

河北菩提岛诸岛保护区重点调查湿地范围面积0.38万公顷，湿地面积0.25万公顷，主要湿地类型为近海与海岸湿地。地理坐标为东经118°47′46″～118°53′06″，北纬39°05′13″～39°09′14″；位于唐山市乐亭县大清河口外。

调查发现湿地高等植物1门8科19属19种。没有国家重点保护野生植物。尚未发现外来植物物种。

湿地植被划分为1个植被型组，2个植被型，8个群系。

脊椎动物5纲32目82科378种。其中，鱼类8目18科36种，两栖类1目2科4种，爬行类3目3科6种，鸟类17目54科325种，哺乳类3目5科7种。

国家重点保护野生动物61种。其中，国家Ⅰ级保护野生动物12种，国家Ⅱ级保护野生动物49种。在国家重点保护野生动物中，湿地鸟类61种，其中国家Ⅰ级保护鸟类12种，国家Ⅱ级保护鸟类49种。尚未发现外来动物物种。

于2002年建立省级自然保护区，由海洋部门管理，管理机构为唐山市三岛办。

主要受基建和城市化的威胁。受威胁状况等级为轻度。

14. 河北海兴湿地和鸟类省级自然保护区湿地

河北海兴湿地和鸟类保护区重点调查湿地范围面积1.68万公顷，湿地面积1.54万公顷，主要湿地类型为河流湿地、沼泽湿地和人工湿地。地理坐标为东经117°20′03″～117°58′09″，北纬37°56′10″～38°17′31″；位于沧州市海兴县。

调查发现湿地高等植物1门13科20属22种。保护区没有国家重点保护野生植物。尚未发现外来植物物种。

湿地植被划分为3个植被型组，5个植被型，10个群系。

脊椎动物5纲35目97科324种。其中，鱼类2纲10目28科59种，两栖类1目3科6种，爬行类3目4科8种，鸟类16目51科233种，哺乳类5目11科18种。

国家重点保护野生动物16种。其中，国家Ⅰ级保护野生动物5种，国家Ⅱ级保护野生动物

11 种。在国家重点保护野生动物中，湿地鸟类 16 种，其中国家Ⅰ级保护鸟类 5 种，国家Ⅱ级保护鸟类 11 种。尚未发现外来动物物种。

于 2002 年建立省级自然保护区，由林业部门管理，管理机构为海兴湿地自然保护区管理处。

受威胁因子主要包括：①基建；②围垦；③盐碱化。综合受威胁状况等级为轻度。

15. 平山冶河黑鹳觅食地自然保护小区湿地

平山冶河自然保护小区重点调查湿地范围面积 0.06 万公顷，湿地面积 0.03 万公顷，主要湿地类型为河流湿地。地理坐标为东经 114°07′59″～114°13′48″，北纬 38°11′42″～38°17′49″；位于石家庄市平山县。

调查发现湿地高等植物 1 门 23 科 34 属 40 种。国家重点保护野生植物 1 种，为国家Ⅱ级保护野生植物野大豆。尚未发现外来植物物种。

湿地植被划分为 3 个植被型组，5 个植被型，12 个群系。

脊椎动物 5 纲 32 目 84 科 280 种。其中，鱼类 7 目 13 科 26 种，两栖类 2 目 5 科 9 种，爬行类 2 目 5 科 11 种，鸟类 16 目 52 科 217 种，哺乳类 5 目 9 科 17 种。

国家重点保护野生动物 38 种。其中，国家Ⅰ级保护野生动物 4 种，国家Ⅱ级保护野生动物 34 种。在国家重点保护野生动物中，湿地鸟类 38 种，其中国家Ⅰ级保护鸟类 4 种，国家Ⅱ级保护鸟类 34 种。尚未发现外来动物物种。

于 2001 年建立河北平山冶河黑鹳觅食保护小区，由林业部门管理，管理机构为平山县林业局。

主要受基建、挖沙和水质污染的威胁。综合受威胁状况等级为轻度。

16. 平山王母黑鹳觅食地自然保护小区湿地

平山王母自然保护小区重点调查湿地范围面积 0.11 万公顷，湿地面积 0.07 万公顷，主要湿地类型为河流湿地。地理坐标为东经 113°59′56″～114°14′20″，北纬 38°17′13″～38°19′44″；位于石家庄市平山县。

调查发现湿地高等植物 1 门 6 科 9 属 10 种。国家重点保护野生植物 1 种，为国家Ⅱ级保护野生植物野大豆。尚未发现外来植物物种。

湿地植被划分为 2 个植被型组，3 个植被型，5 个群系。

脊椎动物 5 纲 32 目 84 科 280 种。其中，鱼类 7 目 13 科 26 种，两栖类 2 目 5 科 9 种，爬行类 2 目 5 科 11 种，鸟类 16 目 52 科 217 种，哺乳类 5 目 9 科 17 种。

国家重点保护野生动物 38 种。其中，国家Ⅰ级保护野生动物 4 种，国家Ⅱ级保护野生动物 34 种。在国家重点保护野生动物中，湿地鸟类 38 种，其中国家Ⅰ级保护鸟类 4 种，国家Ⅱ级保护鸟类 34 种。尚未发现外来动物物种

于 2001 年建立河北平山王母黑鹳觅食保护小区，由林业部门管理，管理机构为平山县林业局。

主要受基建和挖沙的威胁。综合受威胁状况等级为轻度。

17. 平山下槐、小觉黑鹳觅食地自然保护小区湿地

平山下槐、小觉保护小区重点调查湿地范围面积0.04万公顷，湿地面积0.04万公顷，主要湿地类型为河流湿地。地理坐标为东经113°38′28″~113°54′11″，北纬38°18′43″~38°24′36″；位于石家庄市平山县。

调查发现湿地高等植物1门10科11属12种。国家重点保护野生植物1种，为国家Ⅱ级保护野生植物野大豆。尚未发现外来植物物种。

湿地植被划分为2个植被型组，4个植被型，5个群系。

脊椎动物5纲32目84科280种。其中，鱼类7目13科26种，两栖类2目5科9种，爬行类2目5科11种，鸟类16目52科217种，哺乳类5目9科17种。

国家重点保护野生动物38种。其中，国家Ⅰ级保护野生动物4种，国家Ⅱ级保护野生动物34种。在国家重点保护野生动物中，湿地鸟类38种，其中国家Ⅰ级保护鸟类4种，国家Ⅱ级保护鸟类34种。尚未发现外来动物物种。

于2001年建立河北平山小觉、下槐黑鹳觅食保护小区，受林业部门管理，管理机构为平山县林业局。

主要受基建和挖沙的威胁。综合受威胁状况等级为轻度。

18. 河北坝上闪电河国家湿地公园湿地

河北坝上闪电河国家湿地公园重点调查湿地范围面积0.41万公顷，湿地面积0.38万公顷，主要湿地类型为河流湿地、湖泊湿地(永久性咸水湖)、沼泽湿地和人工湿地。地理坐标为东经115°44′~115°51′，北纬41°37′~41°48′；位于沽源县。

调查发现湿地高等植物2门24科50属68种。湿地公园没有国家重点保护野生植物。尚未发现外来植物物种。

湿地植被划分为2个植被型组，5个植被型，29个群系。

脊椎动物5纲26目61科226种。其中，鱼类1目2科2种，两栖类1目3科5种，爬行类1目4科11种，鸟类17目40科176种，哺乳类6目12科32种。

国家重点保护野生动物29种。其中，国家Ⅰ级保护野生动物4种，国家Ⅱ级保护野生动物25种。在国家重点保护野生动物中，湿地鸟类29种，其中国家Ⅰ级保护鸟类4种，国家Ⅱ级保护鸟类25种。尚未发现外来动物物种。

于2009年建立河北坝上闪电河国家湿地公园(试点)受林业部门管理，管理机构为河北坝上闪电河国家湿地公园管理处。

主要受放牧、居民生活污水排放和围垦等因素的影响。综合受威胁状况等级为轻度。

19. 河北北戴河国家湿地公园及周边湿地

河北北戴河国家湿地公园及周边重点调查湿地范围面积0.04万公顷，湿地面积0.03万公顷，主要湿地类型为近海与海岸湿地和人工湿地。地理坐标为东经119°24′06″~119°32′10″，北纬39°47′58″~39°53′40″；位于秦皇岛市北戴河区中部。

调查发现湿地高等植物2门26科50属61种。国家重点保护野生植物1种，为国家Ⅱ级保护野生植物野大豆。发现有豚草零星分布，尚未造成危害。

湿地植被划分为4个植被型组，9个植被型，25个群系。

脊椎动物5纲34目75科276种。其中，鱼类8目18科35种，两栖类1目2科4种，爬行类3目3科7种，鸟类17目47科223种，哺乳类5目5科7种。

国家重点保护野生动物37种。其中，国家Ⅰ级保护野生动物6种，国家Ⅱ级保护野生动物31种。在国家重点保护野生动物中，湿地鸟类37种，其中国家Ⅰ级保护鸟类6种，国家Ⅱ级保护鸟类31种。尚未发现外来动物物种。

于2010年建立河北北戴河国家湿地公园(试点)，受林业部门管理，管理机构为北戴河湿地公园管理处。

主要受泥沙淤积、污染和外来物种入侵等威胁。综合受威胁状况等级为轻度。

20. 涞源县拒马源湿地公园湿地

涞源县拒马源湿地公园重点调查湿地范围面积0.06万公顷，湿地面积0.01万公顷，主要湿地类型为河流湿地和沼泽湿地。地理坐标为东经114°39′43″~114°44′31″，北纬39°20′02″~39°20′53″；位于保定市涞源县。

调查发现湿地高等植物1门20科31属35种。湿地公园没有国家重点保护野生植物。尚未发现外来植物物种。

湿地植被划分为3个植被型组，6个植被型，11个群系。

脊椎动物2纲6目9科10种。其中，两栖类1目1科1种，鸟类5目8科9种。湿地公园没有国家重点保护野生动物。尚未发现外来动物物种。

于2007年建立涞源县拒马源湿地公园，受旅游部门管理，管理机构为涞源县风景名胜区管理局。

主要受城镇化和污染的影响。湿地受威胁等级为轻度。

21. 河北永年洼省级湿地公园湿地

河北永年洼省级湿地公园重点调查湿地范围面积0.31万公顷，湿地面积0.08万公顷，主要湿地类型为河流湿地和沼泽湿地。地理坐标为东经114°43′00″~114°46′00″，北纬36°40′30″~36°43′20″；位于永年县广府镇。

调查发现湿地高等植物1门11科12属13种。湿地公园没有国家重点保护野生植物。尚未发现外来植物物种。

湿地植被划分为2个植被型组，5个植被型，6个群系。

脊椎动物4纲11目12科24种。其中，鱼类2目2科4种，两栖类1目3科6种，爬行类1目1科1种，鸟类7目7科13种。湿地公园没有国家重点保护野生动物。尚未发现外来动物物种。

于2007年建立河北永年洼省级湿地公园，由林业部门管理，管理机构为广府管委会。

主要受城市和基础设施建设、围垦及污染等威胁。湿地受威胁等级为中度。

22. 河北南宫群英湖省级湿地公园湿地

河北南宫群英湖省级湿地公园重点调查湿地范围面积0.03万公顷，湿地面积0.03万公顷，主要湿地类型为河流、沼泽湿地和人工湿地。地理坐标为东经115°21′15″~115°22′28″，北纬37°21′43″~37°23′14″；位于南宫市。

调查发现湿地高等植物1门11科11属12种。湿地公园没有国家重点保护野生植物，有黄顶菊零星分布，未造成危害。

湿地植被划分为3个植被型组，4个植被型，6个群系。

脊椎动物4纲17目18科38种。其中，鱼类4目5科15种，两栖类1目2科5种，爬行类2目2科2种，鸟类9目9科16种。

国家重点保护野生动物2种。国家Ⅱ级保护野生动物2种。在国家重点保护野生动物中，湿地鸟类2种，国家Ⅱ级保护鸟类2种。尚未发现外来动物物种。

于2007年建立河北南宫湖省级湿地公园，由林业部门管理，管理机构为南宫湖省级湿地公园管理处。

主要受城市和基础设施建设、围垦、城市污水排放和外来物种入侵等威胁。受威胁状况等级为重度。

23. 河北滏泉湖省级湿地公园湿地

河北滏泉湖省级湿地公园重点调查湿地范围面积0.19万公顷，湿地面积0.12万公顷，主要湿地类型为沼泽湿地和人工湿地。地理坐标为东经114°15′00″~114°16′21″，北纬36°24′22″~36°26′20″；位于邯郸市磁县。

调查发现湿地高等植物2门52科95属121种。湿地公园没有国家重点保护野生植物，发现有黄顶菊零星分布，未造成危害。

湿地植被主要包括1个植被型组，2个植被型，2个群系。

脊椎动物5纲25目59科160种。其中，鱼类2目2科10种，两栖类1目3科5种，爬行类2目3科3种，鸟类15目42科125种，哺乳类5目9科17种。

国家重点保护野生动物20种。其中，国家Ⅰ级保护野生动物1种，国家Ⅱ级保护野生动物19种。在国家重点保护野生动物中，湿地鸟类20种，其中国家Ⅰ级保护鸟类1种，国家Ⅱ级保护鸟类19种。尚未发现外来动物物种。

于2009年建立河北滏泉湖省级湿地公园。受林业部门管理，管理机构为磁县林业局。

主要受污染、围垦和外来物种入侵等威胁。湿地受威胁等级为轻度。

24. 河北清凉湾省级湿地公园湿地

河北清凉湾省级湿地公园重点调查湿地范围面积0.02万公顷，湿地面积99.07公顷，主要湿地类型为沼泽湿地。地理坐标为东经113°58′50″~114°06′08″，北纬38°01′18″~38°08′03″；位于石家庄市井陉矿区。

调查发现湿地高等植物1门11科18属18种。湿地公园没有国家重点保护野生植物。尚未发现外来植物物种。

湿地植被划分为2个植被型组，2个植被型，11个群系。

脊椎动物4纲14目21科31种。其中，两栖类1目2科2种，爬行类1目2科3种，鸟类8目13科22种，哺乳类4目4科4种。

国家重点保护野生动物1种。国家Ⅱ级保护野生动物1种。在国家重点保护野生动物中，湿地鸟类1种，为国家Ⅱ级保护鸟类长耳鸮。尚未发现外来动物物种。

于2009年建立河北清凉湾省级湿地公园，受林业部门管理，管理机构为井陉矿区林业局。

未受到明显的人为因素干扰。湿地受威胁等级为安全。

25. 河北冶河省级湿地公园湿地

河北冶河省级湿地公园重点调查湿地范围面积0.46万公顷，湿地面积0.10万公顷，主要湿地类型为河流湿地。地理坐标为东经114°00′09″～114°16′03″，北纬38°11′00″～38°19′00″；位于石家庄市平山县平山镇。

调查发现湿地高等植物1门24科36属45种。国家重点保护野生植物1种为国家Ⅱ级保护野生植物野大豆。尚未发现外来植物物种。

湿地植被划分为3个植被型组，5个植被型，14个群系。

脊椎动物5纲32目84科280种。其中，鱼类7目13科26种，两栖类2目5科9种，爬行类2目5科11种，鸟类16目52科217种，哺乳类5目9科17种。

国家重点保护野生动物38种。其中，国家Ⅰ级保护野生动物4种，国家Ⅱ级保护野生动物34种。在国家重点保护野生动物中，湿地鸟类38种，其中国家Ⅰ级保护鸟类4种，国家Ⅱ级保护鸟类34种。尚未发现外来动物物种。

于2009年建立河北平山冶河省级湿地公园。由林业部门管理，管理机构为平山冶河湿地公园管理处。

主要受城镇化、挖沙和水质污染的威胁。综合受威胁状况等级为轻度。

26. 河北青塔湖省级湿地公园湿地

河北青塔湖省级湿地公园重点调查湿地范围面积0.01万公顷，湿地面积42.33公顷，主要湿地类型为人工湿地。地理坐标为东经113°26′26″～113°50′18″，北纬36°47′38″～36°48′18″；位于邯郸市涉县北部。

调查发现湿地高等植物2门5科7属8种。湿地公园没有国家保护植物。尚未发现外来植物物种。

湿地植被划分为2个植被型组，3个植被型，6个群系。

脊椎动物5纲13目19科29种。其中，鱼类1目1科3种，两栖类1目2科3种，爬行类1目3科4种，鸟类7目10科14种，哺乳类3目3科5种。

湿地公园没有国家保护野生动物。尚未发现外来动物物种。

于2009年建立河北青塔湖省级湿地公园。由水利和林业部门管理，管理机构为青塔水库灌区管理处。

主要受泥沙淤积的威胁。湿地受威胁等级为轻度。

27. 河北玉泉湖省级湿地公园湿地

河北玉泉湖省级湿地公园重点调查湿地范围面积96.00公顷，湿地面积30.87公顷，主要湿地类型为人工湿地。地理坐标为东经113°41′35″～113°43′05″，北纬36°30′00″～36°30′58″；位于邯郸市涉县。

调查发现湿地高等植物2门7科9属10种。湿地公园没有国家重点保护野生植物。尚未发现外来植物物种。

湿地植被划分为2个植被型组，3个植被型，7个群系。

脊椎动物5纲13目19科26种。其中，鱼类1目1科3种，两栖类1目2科3种，爬行类1目3科4种，鸟类7目10科13种，哺乳类3目3科3种。湿地公园没有国家重点保护野生动物。尚未发现外来动物物种。

于2009年建立河北玉泉湖省级湿地公园，由林业部门管理，管理机构：石岗村代管。

未受到明显的人为因素干扰。湿地受威胁等级为安全。

28. 河北清水河省级湿地公园湿地

河北清水河省级湿地公园重点调查湿地范围面积0.06万公顷，湿地面积0.04万公顷，主要湿地类型为河流湿地。地理坐标为东经114°48′04″～114°54′00″，北纬40°40′01″～40°51′04″；位于张家口市区中心。

湿地公园地处张家口市中心地带，人为活动频繁，河流、湖泊均已做防渗漏处理，没有天然湿地植被，河岸及湖岸植被以观赏树木和花草等人工植被为主。栖息动物亦很少。尚未发现外来植物、动物物种。

于2009年建立河北清水河省级湿地公园，由林业部门管理，管理机构为清水河湿地公园管理处。

主要受公园上游污染和泥沙冲蚀影响。综合受威胁状况等级为安全。

29. 河北丰宁滦河源省级湿地公园湿地

河北丰宁滦河源省级湿地公园重点调查湿地范围面积50.00公顷，湿地面积49.84公顷，主要湿地类型为沼泽湿地。地理坐标为东经116°05′～116°07′，北纬41°22′～41°23′；位于承德市丰宁县大滩林场孤石营林区。

调查发现湿地高等植物1门16科32属38种。湿地公园没有国家重点保护野生植物。尚未发现外来植物物种。

湿地植被划分为2个植被型组，4个植被型，8个群系。

脊椎动物5纲28目61科229种。其中，鱼类2目2科10种，两栖类1目3科5种，爬行类2目4科11种，鸟类17目40科173种，哺乳类6目12科30种。

国家重点保护野生动物27种。其中，国家Ⅰ级保护野生动物4种，国家Ⅱ级保护野生动物23种。在国家重点保护野生动物中，湿地鸟类27种，其中国家Ⅰ级保护鸟类4种，国家Ⅱ级保护鸟类23种。尚未发现外来动物物种。

于2010年建立河北滦河源省级湿地公园，由林业部门管理，管理机构为丰宁满族自治县国营林场管理局。

主要受放牧等人为活动的影响。湿地受威胁等级为安全。

30. 河北海留图国家湿地公园湿地

河北海留图国家湿地公园重点调查湿地范围面积0.22万公顷，湿地面积0.21万公顷，主要湿地类型为河流湿地和沼泽湿地。地理坐标为东经115°54′23″~116°00′28″，北纬41°34′25″~41°38′18″；位于承德市丰宁县大滩镇。

调查发现湿地高等植物2门21科52属76种。湿地公园没有国家重点保护野生植物。尚未发现外来植物物种。

湿地植被划分为1个植被型组，3个植被型，28个群系。

脊椎动物5纲23目62科209种。其中，鱼类1目2科2种，两栖类1目2科4种，爬行类1目4科8种，鸟类14目43科167种，哺乳类6目11科28种。

国家重点保护野生动物31种。其中，国家Ⅰ级保护野生动物4种，国家Ⅱ级保护野生动物27种。在国家重点保护野生动物中，湿地鸟类31种，其中国家Ⅰ级保护鸟类4种，国家Ⅱ级保护鸟类27种。尚未发现外来动物物种。

于2010年建立河北京北第一草原省级湿地公园，2012年，晋升并更名为河北丰宁海留图国家湿地公园(试点)，由林业部门管理，管理机构为丰宁满族自治县林业局。

主要受污染和过牧等因素的影响。湿地受威胁等级为轻度。

31. 河北康巴诺尔省级湿地公园湿地

康巴诺尔湿地公园重点调查湿地范围面积0.04万公顷，湿地面积0.03万公顷，主要湿地类型为湖泊湿地(永久性咸水湖)和沼泽湿地。地理坐标为东经114°33′~114°37′，北纬41°47′~41°50′；位于张家口市康保县。

调查发现湿地高等植物2门10科20属21种。湿地公园没有国家重点保护野生植物。尚未发现外来植物物种。

湿地植被划分为3个植被型组，5个植被型，12个群系。

脊椎动物5纲30目68科245种。其中，鱼类6目8科32种，两栖类1目2科4种，爬行类1目2科8种，鸟类16目45科173种，哺乳类6目11科28种。

国家重点保护野生动物31种。其中，国家Ⅰ级保护野生动物3种，国家Ⅱ级保护野生动物28种。在国家重点保护野生动物中，湿地鸟类30种，其中国家Ⅰ级保护鸟类3种，国家Ⅱ级保护鸟类27种。尚未发现外来动物物种。

2010年建立河北康巴诺尔省级湿地公园，由林业部门管理，管理机构为康保县林业局。

主要受城镇建设和水质污染的影响。湿地受威胁等级为重度。

32. 河北洋河河谷省级湿地公园湿地

洋河河谷湿地公园重点调查湿地范围面积0.12万公顷，湿地面积63.77公顷，主要湿地类型为河流湿地。地理坐标为东经115°12′~115°17′，北纬40°28′~40°30′；位于张家口市下花园。

调查发现湿地高等植物 1 门 13 科 17 属 20 种。湿地公园没有国家重点保护野生植物。尚未发现外来植物物种。

湿地植被划分为 2 个植被型组，5 个植被型，8 个群系。

脊椎动物 5 纲 19 目 25 科 30 种。其中，鱼类 1 目 1 科 3 种，两栖类 1 目 2 科 2 种，爬行类 2 目 3 科 3 种，鸟类 10 目 14 科 17 种，哺乳类 5 目 5 科 5 种。

国家重点保护野生动物 4 种。国家 Ⅱ 级保护野生动物 4 种。在国家重点保护野生动物中，湿地鸟类 4 种，国家 Ⅱ 级保护鸟类 4 种。尚未发现外来动物物种。

2010 年建立河北洋河河谷省级湿地公园，由农林部门管理，管理机构为下花园区农委。

主要受到污染的威胁。湿地受威胁等级为轻度。

33. 闪电河两岸湿地

闪电河两岸重点调查湿地范围面积 8.47 万公顷，湿地面积 1.53 万公顷，主要湿地类型为河流湿地、湖泊湿地（永久性淡水湖和季节性咸水湖）和沼泽湿地。地理坐标为东经 115°40′05″ ~ 116°13′19″，北纬 41°23′53″ ~ 41°56′42″；位于河北省北部坝上高原，涉及丰宁、沽源两个县。

调查发现湿地高等植物 2 门 27 科 72 属 109 种。湿地范围没有国家重点保护野生植物。尚未发现外来植物物种。

湿地植被划分为 2 个植被型组，5 个植被型，48 个群系。

脊椎动物 5 纲 26 目 61 科 226 种。其中，鱼类 1 目 2 科 2 种，两栖类 1 目 3 科 5 种，爬行类 1 目 4 科 11 种，鸟类 17 目 40 科 176 种，哺乳类 6 目 12 科 32 种。

国家重点保护野生动物 32 种。其中，国家 Ⅰ 级保护野生动物 4 种，国家 Ⅱ 级保护野生动物 28 种。在国家重点保护野生动物中，湿地鸟类 32 种，其中国家 Ⅰ 级保护鸟类 4 种，国家 Ⅱ 级保护鸟类 28 种。尚未发现外来动物物种。

湿地的主管部门是林业局，管理机构为沽源县林业局和丰宁满族自治县林业局。

主要受过牧、围垦和沙化等因素的影响。湿地受威胁等级为中度。

34. 乐亭近海与海岸湿地

乐亭近海与海岸重点调查湿地范围面积 5.68 万公顷，湿地面积 5.66 万公顷，主要湿地类型为近海与海岸湿地、河流湿地和人工湿地。地理坐标为东经 118°40′37″ ~ 119°19′59″，北纬 38°59′20″ ~ 39°14′17″；位于唐山市乐亭县东南沿海。

调查发现湿地高等植物 1 门 5 科 8 属 8 种。湿地范围没有国家重点保护野生植物。尚未发现外来植物物种。

湿地植被划分为 1 个植被型组，1 个植被型，1 个群系。

脊椎动物 5 纲 41 目 105 科 436 种。其中，鱼类 17 目 41 科 94 种，两栖类 1 目 2 科 4 种，爬行类 3 目 3 科 6 种，鸟类 17 目 54 科 325 种，哺乳类 3 目 5 科 7 种。

国家重点保护野生动物 61 种。其中，国家 Ⅰ 级保护野生动物 12 种，国家 Ⅱ 级保护野生动物 49 种。在国家重点保护野生动物中，湿地鸟类 61 种，其中国家 Ⅰ 级保护鸟类 12 种，国家 Ⅱ 级保护鸟类 49 种。尚未发现外来动物物种。

湿地主管部门为国土和林业局，管理机构为乐亭县国土局、乐亭县林业局。

主要受围垦、污染等人为活动的影响。受威胁等级为中度。

35. 滦南近海与海岸湿地

滦南近海与海岸重点调查湿地范围面积 11.44 万公顷，湿地面积 10.84 万公顷，主要湿地类型为近海与海岸湿地、河流湿地、沼泽湿地和人工湿地。地理坐标为东经 118°00′04″~118°42′43″，北纬 38°55′23″~39°16′05″；位于唐山市滦南县沿海地区。

调查发现湿地高等植物 1 门 5 科 8 属 10 种。湿地范围没有国家重点保护野生植物。尚未发现外来植物物种。

湿地植被包括 2 个植被型组，3 个植被型，6 个群系。

脊椎动物 5 纲 43 目 105 科 425 种。其中，鱼类 17 目 41 科 94 种，两栖类 1 目 2 科 2 种，爬行类 2 目 2 科 5 种，鸟类 17 目 49 科 307 种，哺乳类 6 目 11 科 17 种。

国家重点保护野生动物 50 种。其中，国家Ⅰ级保护野生动物 9 种，国家Ⅱ级保护野生动物 41 种。在国家重点保护野生动物中，湿地鸟类 50 种，其中国家Ⅰ级保护鸟类 9 种，国家Ⅱ级保护鸟类 41 种。尚未发现外来动物物种。

主管部门为国土和林业部门，管理机构为滦南县国土局、滦南县林业局。

主要受城市化及基础设施建设和围垦的影响。受威胁等级为轻度。

36. 曹妃甸区近海与海岸湿地

曹妃甸区近海与海岸重点调查湿地范围面积 3.93 万公顷，湿地面积 2.89 万公顷，主要湿地类型为近海与海岸湿地、河流湿地和人工湿地。地理坐标为东经 118°20′17″~118°38′06″，北纬 38°56′06″~39°12′54″；位于唐山市曹妃甸区沿海区域。

调查发现湿地高等植物 1 门 6 科 9 属 12 种。湿地范围没有国家重点保护野生植物。尚未发现外来植物物种。

湿地植被包括 2 个植被型组，4 个植被型，8 个群系。

脊椎动物 5 纲 43 目 105 科 425 种。其中，鱼类 17 目 41 科 94 种，两栖类 1 目 2 科 2 种，爬行类 2 目 2 科 5 种，鸟类 17 目 49 科 307 种，哺乳类 6 目 11 科 17 种。

国家重点保护野生动物 50 种。其中，国家Ⅰ级保护野生动物 9 种，国家Ⅱ级保护野生动物 41 种。在国家重点保护野生动物中，湿地鸟类 50 种，其中国家Ⅰ级保护鸟类 9 种，国家Ⅱ级保护鸟类 41 种。尚未发现外来动物物种。

湿地的主管部门是国土和林业，管理机构为曹妃甸区国土局和曹妃甸区林业局。

主要受城市化及基础设施建设、围垦和污染的影响。受威胁等级为中度。

37. 海兴、黄骅近海与海岸湿地

海兴、黄骅近海与海岸湿地范围面积 13.35 万公顷，湿地面积 13.35 万公顷，主要湿地类型为近海与海岸湿地和人工湿地。地理坐标为东经 117°24′25″~118°02′17″，北纬 38°11′20″~38°38′38″；位于沧州市海兴县和黄骅市东部沿海。

调查发现湿地高等植物1门3科4属5种。湿地范围没有国家重点保护野生植物。尚未发现外来植物物种。

湿地植被划分为2个植被型组，2个植被型，2个群系。

脊椎动物5纲42目110科360种。其中，鱼类17目41科94种，两栖类1目3科6种，爬行类3目4科9种，鸟类16目51科233种，哺乳类5目11科18种。

国家重点保护野生动物20种。其中，国家Ⅰ级保护野生动物5种，国家Ⅱ级保护野生动物15种。在国家重点保护野生动物中，湿地鸟类20种，其中国家Ⅰ级保护鸟类5种，国家Ⅱ级保护鸟类15种。尚未发现外来动物物种。

湿地的主管部门是国土和林业，管理机构为黄骅市和海兴县国土局、林业局。

主要受城市化及基础设施建设、围垦和盐碱化的威胁。受威胁等级为中度。

38. 滦河三角洲湿地

滦河三角洲重点调查湿地范围面积0.38万公顷，湿地面积0.38万公顷，主要湿地类型为近海与海岸湿地和人工湿地。地理坐标为东经119°14′13″～119°18′18″，北纬39°23′46″～39°30′04″；位于昌黎县东南部和乐亭县的姜各庄镇东北部九间房、莲花池一带。

调查发现湿地高等植物1门10科17属18种。国家重点保护野生植物1种，为国家Ⅱ级保护野生植物野大豆。尚未发现外来植物物种。

湿地植被划分为2个植被型组，3个植被型，7个群系。

脊椎动物5纲41目105科436种。其中，鱼类17目41科94种，两栖类1目2科4种，爬行类3目3科6种，鸟类17目54科325种，哺乳类3目5科7种。

国家重点保护野生动物61种。其中，国家Ⅰ级保护野生动物12种，国家Ⅱ级保护野生动物49种。在国家重点保护野生动物中，湿地鸟类61种，其中国家Ⅰ级保护鸟类12种，国家Ⅱ级保护鸟类49种。尚未发现外来动物物种。

湿地的主管部门是国土和林业，管理机构为国土局、林业局。

主要受泥沙、污染和围垦的威胁。综合受威胁状况等级为中度。

39. 滦河湿地

滦河重点调查湿地范围面积300.00万公顷，湿地面积3.87万公顷，主要湿地类型为河流湿地、湖泊湿地(永久性淡水湖)、沼泽湿地和人工湿地。地理坐标为东经116°11′28″～119°36′25″，北纬40°05′28″～42°21′22″；位于河北省东北部。

调查发现湿地高等植物2门55科155属237种。国家重点保护野生植物1种，为国家Ⅱ级保护野生植物野大豆。在青龙河，发现有豚草零星分布，尚未造成危害。

湿地植被划分为3个植被型组，7个植被型，90个群系。

脊椎动物5纲31目78科298种。其中，鱼类6目10科46种，两栖类1目2科5种，爬行类2目6科16种，鸟类16目47科197种，哺乳类6目13科34种。

国家重点保护野生动物10种。其中，国家Ⅰ级保护野生动物1种，国家Ⅱ级保护野生动物9种。在国家重点保护野生动物中，湿地鸟类10种，其中国家Ⅰ级保护鸟类1种，国家Ⅱ级保护鸟类9种。尚未发现外来动物物种。

湿地主管部门涉及水利、林业、国土、城建等多个部门。

主要受城市化及基础设施建设、河道淤积、污染、过度捕捞和采集、土地沙化的威胁。综合受威胁状况等级为轻度。

40. 潮白河湿地

潮白河重点调查湿地范围面积100.00万公顷，湿地面积1.00万公顷，主要湿地类型为河流湿地、湖泊湿地(永久性淡水湖)、沼泽湿地和人工湿地。地理坐标为东经115°25′16″~117°31′16″，北纬40°30′40″~41°37′30″；位于河北省北部，包括张家口市赤城县、沽源县和承德市丰宁满族自治县和滦平县。

调查发现湿地高等植物2门35科89属130种。国家重点保护野生植物1种，为国家Ⅱ级保护野生植物野大豆。尚未发现外来植物物种。

湿地植被划分为4个植被型组，8个植被型，62个群系。

脊椎动物5纲31目76科287种。其中，鱼类6目8科33种，两栖类1目2科4种，爬行类2目6科16种，鸟类16目47科200种，哺乳类6目13科34种。

国家重点保护野生动物41种。其中，国家Ⅰ级保护野生动物3种，国家Ⅱ级保护野生动物38种。在国家重点保护野生动物中，湿地鸟类40种，其中国家Ⅰ级保护鸟类3种，国家Ⅱ级保护鸟类37种。尚未发现外来动物物种。

湿地主管部门涉及水利、林业、国土、城建等多个部门。

主要受过度放牧、淤积和土地沙化的威胁。综合受威胁状况等级为轻度。

41. 洋河湿地

洋河重点调查湿地范围面积80.00万公顷，湿地面积1.14万公顷，主要湿地类型为河流湿地、沼泽湿地和人工湿地。地理坐标为东经113°49′01″~115°37′23″，北纬40°11′10″~41°17′31″；位于河北省西北部的张家口市，包括尚义县、万全县、怀安县、张家口市区、怀来县和崇礼县。

调查发现湿地高等植物1门29科66属96种。国家重点保护野生植物1种，为国家Ⅱ级保护野生植物野大豆。尚未发现外来植物物种。

湿地植被划分为4个植被型组，8个植被型，54个群系。

脊椎动物5纲20目24科82种。其中，鱼类7目9科33种，两栖类1目1科5种，爬行类1目2科4种，鸟类8目11科33种，哺乳类3目3科7种。

国家重点保护野生动物24种。其中，国家Ⅰ级保护野生动物4种，国家Ⅱ级保护野生动物20种。在国家重点保护野生动物中，湿地鸟类6种，其中国家Ⅰ级保护鸟类1种，国家Ⅱ级保护鸟类5种。尚未发现外来动物物种。

湿地主管部门涉及林业、水利、国土、城建等多个部门。

主要受过度放牧和土地沙化的威胁。综合受威胁状况等级为轻度。

参考文献

[1]国家海洋局. 中国海洋统计年鉴(2013)[M]. 北京：海洋出版社，2014.

[2]国家环境保护局，中国科学院植物研究所. 中国珍稀濒危保护植物名录[M]. 北京：科学出版社，1987.

[3]国家林业局，农业部. 国务院重点保护野生植物名录(第一批)[EB/OL]. (1999-09-09)[2014-10-22]. http：//www. forestry. gov. cn/portal/main/s/3094/minglu1. htm.

[4]河北省地方志编纂委员会. 河北省志(第3卷自然地理志)[M]. 石家庄：河北科学技术出版社，1993.

[5]河北省环境保护厅. 河北省环境状况公报(2011)[R]. 河北省环境保护厅，2012.

[6]河北省环境保护厅. 河北省环境状况公报(2013)[R]. 河北省环境保护厅，2014.

[7]河北省人民政府. 河北经济年鉴2014(总第30卷)[M]. 北京：中国统计出版社，2014.

[8]河北省人民政府. 水资源[EB/OL]. (2007-08-11)[2014-10-25]. http：//www. hebei. gov. cn/eportal/ui？pageId=10751506&articleKey=10918396&columnId=10758963.

[9]河北省人民政府办公厅，河北省统计局. 河北省农村统计年鉴2014[M]. 北京：中国统计出版社，2014.

[10]河北省人民政府办公厅. 河北省人民政府关于印发河北省应对气候变化实施方案的通知[EB/OL]. (2008-06-16)[2015-03-20]. http：//www. hebei. gov. cn/eportal/ui？pageId=10751506&articleKey=11136927&columnId=10761203.

[11]河北省人民政府办公厅. 河北省资源状况之水资源[EB/OL]. (2007-08-11)[2014-06-12]. http：//www. hebei. gov. cn/eportal/ui？pageId=10751506&articleKey=10918396&columnId=10758963.

[12]河北省水利厅，河北省统计局. 河北省第一次水利普查公报[R]. 河北省水利厅，河北省统计局，2013.

[13]河北省水利厅. 河北省水资源公报(2013)[R]. 河北省水利厅，2014a.

[14]河北省水利厅. 河北省水资源评价[R]. 河北省水利厅，2004.

[15]河北省水利厅. 河北水利统计年鉴(2013)[M]. 河北省水利厅，2014b.

[16]河北省水资源概况[EB/OL]. (2009-10-21)[2014-05-27]. http：//www. china. com. cn/aboutchina/zhuanti/09dfgl/2009-10/21/content_18742783. htm.

[17]河北省土壤普查办公室. 河北土壤[M]. 石家庄：河北科学技术出版社，1990.

[18]河北省政府办公厅. 河北省人民政府办公厅关于发布河北省重点保护野生植物名录的通知[EB/OL]. (2010-08-19)[2015-03-27]. http：//info. hebei. gov. cn/eportal/ui？pageId=1962757&articleKey=371093&columnId=329982.

[19]河北植物志编辑委员会. 河北植物志[M]. 北京：科学出版社，1987.

[20]侯春良，张义文. 河北省湿地退化分析及保护策略研究[J]. 水土保持研究，2007，14(5)：387-390.

[21]蒋志刚. 衡水湖国家级自然保护区生物多样性[M]. 北京：中国林业出版社，2009.

[22]刘明玉，解玉浩，季达明. 中国脊椎动物大全[M]. 沈阳：辽宁大学出版社，2000.

[23]刘学忠，范怀良，萧木吉，等. 北戴河鸟类图志[M]. 石家庄：河北教育出版社，2011.

[24]孟霄，程伍群，吴现兵. 河北省水安全现状分析及对策探讨[J]. 水利科技与经济，2006，12(04)：232-234.

[25]田冰，张义文，魏立涛. 河北省湿地现状及其可持续利用[J]. 河北师范大学学报(自然科学版)，2007，31(1)：130-133.

[26]吴跃峰，武明录，曹玉萍，等. 河北动物志(两栖 爬行 哺乳动物类)[M]. 石家庄：河北科学技术出版社，

2009.
[27]吴征镒. 中国种子植物属的分布区类型[J]. 云南植物研究, 1991, 增刊Ⅳ: 1 ~ 139.
[28]谢飞, 李珺, 刘连强. 泥河湾旧石器文化[M]. 石家庄: 花山文艺出版社, 2004.
[29]佚名. 白洋淀的历史[A/OL]. [2014-09-20]. http://www.docin.com/p-267293031.html.
[30]佚名. 塞北风情之滦河史话[A/OL]. [2014-08-05]. http://www.doc88.com/p-6951993556088.html.
[31]张俊华, 常海成. 华夏湿地衡水湖[M]. 石家庄: 河北教育出版社, 2006.
[32]赵云旺. 云旺走笔——衡水湖风物[M]. 石家庄: 花山文艺出版社, 2011.
[33]郑光美. 半圆鸟类分类与发布名录[M]. 北京: 科学出版社, 2005. [34]朱宣清, 张冉, 穆仲义, 等. 白洋淀环境演变及预测[M]. 西安: 西安地图出版社, 1994.
[35]Shou Z H. The birds of Hopei Province. Zoologia Sinica, Ser B, Vertebrates of China, 15: xxxiii, 3175 + 975, in two vols[M]. Fan Mem Inst Biol, 1936.

附件

河北省湿地资源调查主要参与调查单位及人员

河北省野生动植物保护站：张　海　毛富玲　王振鹏　宋新英　张兆东　王建营

河北省林业调查规划设计院：田建辉　陈立标　杨　丽　冯国锋　安春林　于秀藏　李东胜　刘庆博　宋　莎　张丽荣　刘　娟　王　芳　张　岩　张彩桥　张临春　白庆红　姚天斌　穆孜杰　范　波　王　生　郭少波　王福星　史军海　张晓锋　刘利斌　王　勇　孟军朝　张　炜　苗宏志　李永杰　赵军鹏　刘　军　殷建伟　王　霞　赵卫波　李红星　高　扬　刘　洋　赵　飞　张江涛　曹　成　王　凤　王丽华　王　佳　王玉斌　王瑞英

森林资源管理处：刘　洵　王占华　张卫强

科学技术与国际合作处：封新国　王春香

野生动植物与自然保护区保护处：管耀义　付芸生　王秀辉　尚辛亥

发展规划与资金管理处：马书峰　魏建秋

造林绿化处：张书桐　李喜臣　钱　栋

省三北防护林工程管理办公室：姚清亮　禹兰景　张从哲

省防沙治沙工程管理办公室：许文泉　倪志云　任保俊

省退耕还林工程管理办公室：鲁少波　贡克奇　李宗领

省林业科学研究院：毕　君　王　超

河北塞罕坝国家级自然保护区：张向忠　聂鸿飞　鲁艳华　姚丹阳　杜兴兰　崔　星　张　菲

河北滦河上游国家级自然保护区：王桂忠　李贺明　杨文学　田禾莹　尤立权

河北雾灵山国家级自然保护区：李远坤　郭雅儒　冯学全　樊晓亮

河北小五台山国家级自然保护区：李盼威　郑　斌　陈桂萍

张家口林业规划设计院：高　斌　李正国　王树凯　刘军辉　王　军

石家庄市林业局：贾　彬　白文范　王树民

承德市林业局：孙金伟　尚晓燕

唐山市林业局：张　海　张海峰

秦皇岛市林业局：樊　渭　张郑国　李　倧

廊坊市林业局：常树元　常淑荣　刘家铄

保定市林业局：陈　飞　周元克　曾　驿

沧州市林业局：郭凤喜　孔　华

衡水市林业局：赵东旗　孙华峰

邢台市林业局：王增生　王明瑞　宁国元

邯郸市林业局：焦振宗　董亚虎　郭永红

河北衡水湖国家级自然保护区：刘振杰　李洪凯

河北黄金海岸国家级自然保护区：金照光

河北南大港湿地和鸟类省级自然保护区：张茂玉　姜中慧

河北白洋淀省级自然保护区：田永昌　齐　明

河北曹妃甸湿地和鸟类省级自然保护区：高从平　韩丽萍

河北宣化黄羊滩省级自然保护区：李澍凯

河北海兴湿地和鸟类省级自然保护区：孟庆兴　徐明义　王秀珍

沽源县湿地保护管理中心：陈有福　崔建军

其他单位人员：李剑平　邢海福　孙万兵　王向海　董占清　翟志伟　方真宇　陈　涛　张　静　何万义　荣金国　安立新　王根生　赵聚芳　刘显军　刘海金　商国平　王颖杰　王月星　张淑红　王英超　刘丽霞

后　记

根据河北省第二次湿地资源调查统计，全省共有5个湿地类19个湿地型，8公顷以上的湿地总面积(不包括唐山市芦台管理区，天津市已调查统计)94.19万公顷，占全省总面积的5.02%。其中，天然湿地69.46万公顷，占湿地总面积73.74%；人工湿地24.73万公顷，占湿地总面积26.26%。从湿地类看，全省有近海与海岸湿地23.19万公顷，占湿地总面积24.62%；河流湿地21.25万公顷，占湿地总面积22.56%；湖泊湿地2.66万公顷，占湿地总面积2.82%；沼泽湿地22.36万公顷，占湿地总面积23.74%；人工湿地24.73万公顷，占湿地总面积的26.26%。另外，根据河北省农业厅提供的2010年统计数据，河北省有稻田湿地面积8.53万公顷(在湿地总面积中未作统计)。

河北省共有湿地高等植物819种，隶属4门105科394属。其中，苔藓类植物13种，隶属7科10属。蕨类植物13种，隶属9科9属。裸子植物5种，隶属3科5属。被子植物788种，隶属86科370属。被子植物中，单子叶植物210种，隶属20科92属；双子叶植物578种，隶属66科278属。河北省湿地陆生野生动物有441种，隶属4纲28目85科216属。其中两栖类12种，计2目6科6属；爬行类11种，计2目5科8属；鸟类389种，计19目64科181属；哺乳类29种，计5目10科21属。另有鱼类211种，其中海洋鱼类100种，占已发现鱼类总数的47.39%；淡水鱼类111种，占已发现鱼类总种数的52.61%。

将全省11个设区市的172个县(市、区)，划分出182个湿地区，其中单独区划湿地区28个，零星湿地区154个。同时按流域分类办法划分一级流域4个、二级流域8个、三级流域18个。通过全面普查与重点抽样调查，基本查清了河北省分湿地区和流域的各类湿地资源的类型、分布、数量以及主要生态特征，准确掌握了湿地动植物资源情况，建立了全省湿地资源信息库，编绘了河北省湿地资源分布图和重点调查湿地分布图等，编写了资源调查报告和《中国湿地资源·河北卷》。

《中国湿地资源·河北卷》主要包括基本情况、湿地类型、湿地生物资源、湿地资源利用、湿地资源评价、湿地保护与管理等六章及湿地动植物名录、重点调查湿地概况等附录。本书的出版，为河北省湿地自然保护区建设、湿地公园建设、湿地野生动植物资源保护及合理利用提供了翔实的基础数据，为河北省湿地资源保护管理决策提供了科学依据。

《中国湿地资源·河北卷》是在河北省第二次湿地资源调查材料整理分析的基础上编写而成，调查工作历时两年，参加调查的人员包括来自调查规划、自然保护区、科研、生产和各级林业主管部门的160余位专家及管理人员。编写组由47位相关领域的中高级专家和科技人员组成，2014年8月经编委会和编写组讨论，制定了编写提纲，根据各位编写人员的专业特长，分别执笔完成各章节的编写，全稿历经3次集体讨论和修改，最后由主编和副主编统稿完成。各章节分工如下：

第一章　陈立标　王福星　穆孜杰　白庆红　张兆东　王建营

第二章　杨　丽　冯国锋　李永杰　宋新英　郭少波　曹　成

第三章　安春林　杨　丽　刘丽霞　姚天斌　范　波　王　芳

第四章　冯国锋　安春林　刘　娟　张丽荣　史军海　张　炜

第五章　田建辉　于秀藏　李东胜　刘庆博　张晓锋　苗宏志　回彦哲

第六章　张　海　毛富玲　王振鹏　宋　莎　刘利斌　王　超　孟军朝

在湿地资源调查和本书的编写过程中，得到了国家林业局湿地保护管理中心、国家林业局调查规划设计院、河北省各市、县林业局的大力支持和协助，在此表示衷心感谢。

《中国湿地资源·河北卷》编写组

2014年8月